A Pátria dos Curadores

SANDRA NUÑEZ

A Pátria dos Curadores

Uma História da Medicina e da Cura Espiritual no Brasil

TRADUÇÃO
Denise de C. Rocha Delela
Gilson César Cardoso de Sousa

Editora
Pensamento
SÃO PAULO

Título original: *Brazil's Soulful Medicine.*

1ª edição 2012.

Texto de acordo com as novas regras de ortografia da língua portuguesa.

Coordenação editorial: Denise de C. Rocha Delela e Roseli de S. Ferraz
Revisão técnica: Adilson Silva Ramachandra
Revisão: Claudete Agua de Melo e Vivian Miwa Matsushita
Diagramação: Fama Editoração Eletrônica

As informações contidas neste livro não têm a intenção de substituir cuidados médicos sob a supervisão direta de um médico. Antes de efetuar qualquer mudança no seu padrão de saúde, consulte sempre um médico. A aplicação das ideias e informações deste livro dependem apenas do critério do leitor, sendo da sua inteira responsabilidade e risco.

Dados Internacionais de Catalogação na Publicação (CIP)
(Câmara Brasileira do Livro, SP, Brasil)

Nuñez, Sandra
A pátria dos curadores : uma história da medicina e da cura espiritual no Brasil / Sandra Nuñez ; tradução Denise de C. Rocha Delela, Gilson César Cardoso de Sousa. — São Paulo : Pensamento, 2012.

Título original: Brazil`s soulful medicine.
Bibliografia.
ISBN 978-85-315-1819-5

1. Espiritualidade — Aspectos de saúde 2. Medicina alternativa 3. Mente e corpo 4. Saúde — Aspectos religiosos I. Título.

12-14165 CDD-610

Índices para catálogo sistemático:
1. Cura espiritual : Medicina alternativa 610

Direitos de tradução para a língua portuguesa
adquiridos com exclusividade pela
EDITORA PENSAMENTO-CULTRIX LTDA.
Rua Dr. Mário Vicente, 368 — 04270-000 — São Paulo, SP
Fone: (11) 2066-9000 — Fax: (11) 2066-9008
E-mail: atendimento@editorapensamento.com.br
http://www.editorapensamento.com.br
que se reserva a propriedade literária desta tradução.
Foi feito o depósito legal.

Para Joe e todos aqueles que ajudam a elevar a humanidade.

Agradecimentos

Eu nunca havia embarcado numa jornada que me levasse a descobrir um novo campo da espiritualidade científica como a que o Brasil veio a me oferecer. Em cada uma das minhas viagens a esse país, desde a primeira vez, em dezembro de 2001, eu conheci domínios cada vez maiores da medicina, imbuídos de luz, ou melhor, de uma inteligência iluminadora, num serviço de amor e compaixão. O Brasil mostrou qualidades excepcionalmente humanas, particularmente no que se refere à solidariedade que ultrapassa as suas fronteiras.

Eu devo este livro ao meu marido Joe, por todo o estímulo e apoio. Dedico-o a você, pela sua abnegação e serviço ao Amor. Aos meus filhos e netos, agradeço por acreditarem em mim e por me incentivarem a escrever este livro. À minha *abuelita* (minha avó materna já falecida), agradeço por me ensinar o valor da fé, da esperança, da oração e da humildade.

Também gostaria de agradecer à nossa família brasileira adotiva, os Oliveira, de Salvador, Bahia, por nos apresentar à bela cultura brasileira e por compartilhar a sua maravilhosa filosofia espiritual e hospitalidade comigo e com a minha família. À família Pimentel, de Cruz Alta e Porto Alegre, agradeço pela calorosa hospitalidade e amizade, durante as pesquisas relacionadas a este livro. Ao nosso anjo paulista, Adrianna Birello, e sua família, por seu inestimável apoio durante nossa busca pelo dr. Fritz. Ao Netinho, Belmiro Chagas Neto, um prodígio do Apóstolo do Amor de Uberaba; a Chico Xavier, por seu exemplo de amor e serviço altruísta. À nossa família espiritual mais ampla, de Abadiânia, em Goiás, meu muito obrigada pelas orações e apoio constantes. Ao nosso irmão espiritual Juan Tobias Leon, sou grata por me apresentar ao trabalho maravilhoso de João de Deus e à Casa de Dom Inácio, em Abadiânia.

A todos os meus professores que contribuíram de algum modo para este trabalho, agradeço por dividirem comigo a sua sabedoria, visão e disposição para ajudar a fazer deste planeta um lugar melhor para todos. Que Deus abençoe cada um de vocês.

A todos os agentes de cura, educadores, cientistas, profissionais de saúde, teólogos e filósofos que se dedicam de maneira altruísta ao avanço da raça humana, e ao mesmo tempo defendem a paz e a solidariedade, obrigada pela colaboração e serviço inestimáveis. A todos os envolvidos na monumental tarefa do progresso da humanidade. Que a Luz do Criador continue a iluminar o caminho de vocês na recriação do planeta.

Dedico também este livro à minha mãe e ao meu pai, pelo seu amor que me trouxe a este mundo. E à saudosa memória de meu irmão Ricardo e da minha sobrinha Magda. Que eles possam sentir, no mundo espiritual, a paz, a fraternidade e a irmandade que encontrei no Brasil. E, finalmente, a Deus Pai/Mãe por todo o seu amor, graça, luz e responsabilidade que depositou em mim.

Sumário

Prefácio

Este livro foi escrito para ajudar a humanidade a dar o salto quântico de que precisa para sua evolução espiritual e material. Como consegui remover os obstáculos a uma pesquisa dessa natureza, feita numa região geográfica tão distante de minha casa? Afirmo que tudo foi obra do Criador, de Sua graça, luz e orientação, que Ele nunca deixou de me proporcionar. Sou uma testemunha viva da Divina Providência que operou maravilhas em todas as fases de minha vida e pelas quais sempre serei grata.

Só o fato de conseguir completar minha educação graças a uma bolsa de estudos integral, que me permitiu obter dois diplomas de graduação numa grande universidade californiana é, sem dúvida, obra do sobrenatural. Houve demasiadas circunstâncias "incomuns" — ou deveria dizer acontecimentos sobrenaturais? — em minha vida para que possa aqui fornecer todos os detalhes, mas acredito que deva mencionar pelo menos algumas, as mais relevantes, que redundaram na decisão de escrever este livro.

Nasci em uma tradicional família católica que me propiciou os alicerces espirituais constituídos pelos ensinamentos de Cristo e por Sua Abençoada Mãe, Seu Pai Celestial e as cortes de anjos e santos que protegeram e guiaram a mim e a meus familiares em meio às muitas vitórias e derrotas. Em meus primeiros anos de faculdade, fiz um curso sobre as grandes religiões do mundo e concluí que elas têm mais semelhanças que diferenças, pelo menos quando se comparam suas escrituras sagradas. Depois disso, a biologia da minha crença mudou para incluir um respeito cada vez maior por todos os credos que reverenciam o Deus Vivo. Em especial, existem diferentes versões do Livro da Criação, com diferentes detalhes, rituais e tradições; mas a essência individual e espiritual em cada uma delas se encaixa facilmente no Espírito Único de Verdade que as torna um todo indissolúvel.

Na primavera de 1995, durante uma viagem de férias com a família, eu estava em Sedona, no Arizona, quando disseram a meu marido que, se ele visitasse a região central do Brasil, não iria querer mais voltar aos Estados Unidos. Na época, não conhecíamos nenhum brasileiro nem jamais havíamos planejado visitar o Brasil. Tínhamos pouquíssima informação sobre esse paraíso. Anos depois, porém, o universo me enviou o elo de que eu precisava para me conectar com esse país exótico.

Em 1997, o universo nos preparou para conhecer nosso guru, literalmente em nosso próprio quintal! Quantas chances há para um acontecimento desse tipo? Não resta dúvida: as circunstâncias que favoreceram o encontro com nosso mestre espiritual foram outra experiência mística. Tudo tão surreal! Ele surgiu diante de nós em grande estilo, permaneceu conosco uns quinze minutos e foi embora assim como veio! O homem estava à procura de sua filha, que segundo ele morava perto do cruzamento da Amar Road com a Temple Avenue, em West Covina, Califórnia. Como parecesse um pouco perdido, oferecemo-nos para acompanhá-lo até o cruzamento. Durante aqueles quinze ou vinte minutos, apresentou-se como guru e professor universitário, abordou questões intrigantes, passou-nos informações que davam o que pensar, depois se virou e nos olhou de frente, dizendo: "Deus tem uma missão muito especial para vocês dois, que devem cumprir. Foram abençoados pela Divina Providência para esse fim... Tudo que precisarem fazer estará em seu caminho. Ambos são abençoados e amados ternamente". Eu e meu marido ouvimos e nos entreolhamos, incrédulos. Levamos o homem até o cruzamento da Amar Road com a Temple Avenue, onde ele se despediu, agradecendo-nos a gentileza. Já íamos voltar para o carro quando senti uma vontade súbita de conduzir o estranho até a casa da filha. Mal esse pensamento me ocorreu, virei-me para chamá-lo — mas ele não estava mais lá! Não déramos dez passos antes que me decidisse a chamá-lo, portanto o homem deveria se achar apenas a alguns metros de nós. Foi como se ele tivesse cruzado nossa trajetória terrena só para comunicar aquela mensagem divina, mensagem que ainda hoje palpita em nossos corações. Mas o homem deixou também outra, para ruminarmos em nosso íntimo: o cruzamento onde ele desapareceu era o de "Amar" e "Temple" (templo), significando "Ame [o teu] templo", o que tornou a experiência mais surreal ainda. Quando uma pessoa sabe encontrar explicação espiritual para tudo, esse tipo de metáfora, imagem e experiência não passa despercebido.

A Divina Providência também cuidou para que minha experiência profissional no setor de assistência médica se fizesse, por mais de dezoito anos, na área de cobertura e reembolso, como para me dar visão e preparação com as quais fosse capaz de enfrentar problemas específicos da contabilidade do sistema de saúde, proporcionando-me sólidas bases e entendimento prático das falhas desse sistema. A Divina Providência cuidou também para que eu tivesse a oportunidade de admirar os antigos sítios arqueológicos do México, onde meu interesse e amor pela antropologia médica e cultural tomaram forma. Ali, pude avaliar e compreender com mais facilidade a Antiga Teoria Alienígena, recentemente proposta.

Meu tempo de vida foi igualmente regulado pela Divina Providência. Com efeito, na tenra idade de 19 anos, já tinha meus dois filhos e, aos 37, mais madura, completava a tarefa maior de criá-los, o que me dava amplas oportunidades de uma nova carreira e novos interesses. Foi assim que passei dos cuidados clínicos para a espiritualidade. O universo também contribuiu para que isso acontecesse.

Tudo começou em 1997, quando fui aceita na University of California, em Irvine, com bolsa de estudos integral! Alguns meses antes da formatura, quando terminava o último semestre (2001), soube que minha prima Magda, então com apenas 29 anos e em luta contra um câncer havia cinco anos, tinha sido internada em estado grave. No hospital, um amigo mútuo, Juan Tobias Leon, mostrou-me um artigo de revista sobre o curador brasileiro João de Deus. Pressenti que esse homem seria decisivo para Magda e imediatamente mostrei-o também a ela. Conforme previ, Magda expressou o desejo profundo de conhecer João de Deus e logo foi tirar o passaporte e o visto para o Brasil. Porém, um dia antes de comprar a passagem de avião, adoeceu novamente e voltou para o hospital. Isso frustrou seus planos de ir ao Brasil para a tão esperada cura, pois, naquele momento, seu estado a proibia de empreender a longa viagem. O marido achava que Magda não deveria se arriscar, mas ela própria mostrava coragem e determinação para ir em frente. Eu me vi num dilema.

Na manhã seguinte, dirigi-me à biblioteca, pensativa e pedindo a Deus que me desse uma luz a fim de resolver a situação, agora tão difícil. Magda queria de todo jeito ir ao Brasil, mas seu estado piorava rapidamente. Implorei um sinal ao céu enquanto andava. Tinha uma prova ainda naquele dia e precisava rever a matéria. Normalmente, ia para uma determinada área do primeiro andar da biblioteca. Mas, por alguma estranha razão, caminhei direto para o elevador, apertei um botão qualquer, saí no segundo andar, atravessei o saguão, dei mais alguns passos e avistei uma sala de leitura. Puxei a cadeira e fiquei espantada com o que encontrei em cima da carteira. Um livro grande, uma enciclopédia, aberta na página onde se via um enorme mapa do Brasil! Permaneci ali de pé, atônita, quase chorando! Imediatamente agradeci a Deus pela resposta que Ele me enviara! Agora sabia que o Céu me dera luz verde para ir ao Brasil!

Naquela noite, Magda recebeu a pior notícia de sua vida: os médicos não poderiam fazer mais nada por ela. Fora-se a última esperança que lhe restava. Lembro-me de que aquele foi o momento em que Magda se mostrou mais corajosa, Deus a abençoe! No dia seguinte, uma amiga de ambas, Dolores, sem saber de meus planos para levar Magda ao Brasil, contou que estivera com Magda em seu quarto logo depois de ela receber a má notícia. Naquela noite, depois sair do hospital certa de que Magda realmente não tinha mais esperanças, Dolores ligou para um programa de rádio cristão e pediu ao locutor que solicitasse uma prece coletiva de seus ouvintes. O locutor, ouvindo o pedido de Dolores, transmitiu-lhe uma mensagem intrigante. Disse-lhe que Magda estava salva e que muita gente rezava por ela, sobretudo no Brasil; Dolores não devia, portanto, preocupar-se com a amiga. Quando ela me contou o que o locutor dissera, fiquei assombrada, pois Dolores não fazia a mínima ideia de nossos planos para ir ao Brasil. E eu não tinha contado a Dolores que, dias antes, eu havia ligado para a Casa de Dom Inácio, no Brasil, solicitando orações. De que maneira aquele locutor captara as preces vindas do Brasil está além de minha compreensão. Poucas semanas depois, Magda perdeu a batalha para o câncer. Morreu com apenas 29 anos, deixando no plano material um filho de 2 anos, marido, família e amigos. Sua alma foi para junto de Deus. Mas sua vida e seus últimos dias me puseram em contato mais estreito com os ensinamentos e a visão espiritual do Brasil.

Pouco depois, estando já no fim do curso de graduação, tive uma conversa bastante proveitosa com a minha orientadora, dra. Castellanos. Não sabia ainda se interromperia os estudos ou faria pós-graduação. Todavia, não tinha nenhum projeto ou faculdade em mente. Na verdade, deixei o gabinete da dra. Castellanos um pouco mais confusa naquele dia! À noite, em casa, liguei a televisão e vi o astrólogo latino Walter Mercado aconselhando todas as pessoas do signo de câncer a pedir iluminação a Santa Clara, pois ela as atenderia! Ignorando quem era Santa Clara, fiz imediatamente uma pesquisa na Internet e descobri que ela é a santa católica encarregada de iluminar os homens com sua luz, pureza e bom senso, devolvendo-lhes o equilíbrio.

Naquela noite, pedi então a Santa Clara que me mandasse a luz da qual eu tanto necessitava. Na manhã seguinte, acordei lembrando-me de apenas duas coisas de um sonho muito vívido que tivera (algo incomum no meu caso). Contemplava um grande muro de tijolos onde estavam escritas as palavras "Estudos Latino-Americanos". Interpretei-as como se devesse fazer um curso sobre aquele assunto. Comecei então a pesquisar a área de estudos latino-americanos, o que ela abarcava e que tipo de qualificação me proporcionaria. Logo concluí que muito provavelmente apreciaria aquele campo de estudos. Em seguida, pesquisei diversos cursos em várias universidades. O mais conveniente era o do *campus* de Los Angeles, pois assim ficaria mais perto de minha família. Recebi então um comunicado da UCLA aceitando minha matrícula, com bolsa integral! Quando pisei no *campus* pela primeira vez, para a reunião preliminar em meu departamento, avistei o grande muro com as mesmas palavras que vira no sonho: *Estudos Latino-Americanos* — na mesma cor e na mesma caligrafia!

Um dos requisitos do programa era que eu devia aprender a ler, escrever e falar português (ainda não sou muito fluente na bela língua dos brasileiros). Saber português podia ser uma exigência do curso; porém, mais importante ainda era a da Divina Providência, antes que eu viajasse ao Brasil e empreendesse ali meu trabalho de pesquisa.

Lembro-me bem da primeira visita que fiz à Casa de Dom Inácio: tive a impressão de que estava entrando numa outra dimensão. Minhas experiências individuais e combinadas (do meu marido, da minha filha, de mim mesma) ajudaram-me a formular uma série de perguntas que, eu o sentia, precisavam de respostas concretas. Foi essa busca de uma compreensão mais profunda da mentalidade e do espírito brasileiros que me fizeram ir várias vezes ao Brasil. Teve início assim a procura de testemunhos e de literatura sobre o assunto, considerando-se que o Brasil vem estudando as práticas de cura mediúnica há mais de um século.

Voltei ao Brasil em muitas ocasiões nos últimos nove anos e a cada visita juntei um grande acervo de informações que só aumentava na visita seguinte. E sempre me senti impressionada com o caráter cosmopolita de uma cidade tão pequena (Abadiânia), que atrai gente de todas as partes do Brasil e do mundo! Descobri, como antropóloga, que não há maneira melhor de estudar um fenômeno do que observá-lo diretamente no campo, a partir das próprias perspectivas interiores do pesquisador.

No verão de 2008, voltei do Brasil. Dias depois de minha chegada aos Estados Unidos, respondi a um e-mail redigindo um ensaio de 1.500 palavras sobre a bolsa de estudos que desejava. Refleti, escrevi e apresentei o texto pedindo a ajuda de Deus. Cerca de um mês depois, ganhei uma bolsa integral para completar meu curso de pós-graduação. Passados alguns meses, recebi a oferta da Editora Pensamento para publicar meu livro em português, para distribuição no Brasil e em Portugal! Eu não poderia deixar de reconhecer a abundância da Graça que a Providência Divina semeou em minha vida!

Introdução

A ciência e o misticismo — Caminhos diferentes, a mesma verdade

O Brasil não costuma ser associado à cultura latino-americana, porque em seu território não se fala o mesmo idioma que nos outros países da América Latina. Com exceção do idioma, porém, o Brasil e a América Latina hispânica guardam semelhanças históricas e culturais: a colonização europeia, a cultura indígena nativa e uma história de escravidão e de ancestralidade africana, além de uma importante herança espiritual. Os brasileiros consideram a sua pátria o coração e a alma do mundo, e acreditam que ela liderará uma evolução espiritual e de cura do planeta em um futuro próximo.

Este livro apresenta a combinação única de conhecimento científico e sobrenatural utilizada na cura espiritual e nas práticas cirúrgicas psíquicas e mediúnicas brasileiras, dentro do contexto da evolução espiritual e científica mundial. O repertório médico espiritual inigualável do Brasil proporciona ao paciente um caminho prático de autodescoberta, transformação pessoal e responsabilidade por si.

A cura espiritual intervém no plano consciente e confere diretrizes comportamentais capazes de libertar a alma do paciente dos bloqueios que, de outro modo, levariam à doença e/ou ao sofrimento. Essas diretrizes são os ensinamentos morais contidos, entre outras fontes da literatura espiritual, no Evangelho Cristão. Elas encerram princípios relacionados ao comportamento em todas as instâncias da vida pública e privada, e exercem um impacto direto sobre a saúde do indivíduo.

Em sua busca espiritual para orientar o mundo na humanização da medicina, muitos brasileiros se tornaram grandes educadores e já se empenham na construção de um modelo de saúde integrativo. A espiritualidade brasileira — os seus conceitos mais importantes, os seus ensinamentos, a sua história e o modo como os brasileiros utilizam tudo isso para a cura — será o tema central deste estudo multidisciplinar.

O leitor encontrará uma descrição dos protocolos de diagnóstico e tratamento espirituais, e dos procedimentos cirúrgicos espirituais, além de uma explicação sobre como eles promovem a cura. E uma apresentação dos aspectos científicos, filosóficos e morais da cura espiritual brasileira precede um debate prático, do ponto de vista médico e humanista, sobre a necessidade de uma cooperação entre a ciência e a religião.

As experiências brasileiras de cura espiritual pelas quais passam profissionais e pacientes, aliadas a outros conhecimentos médicos e espirituais de antigas tradições, quando analisadas de modo crítico e profundo proporcionam um entendimento muito maior do que pode tornar um sistema de saúde mais eficaz e eficiente. Elas também propiciam uma saúde verdadeiramente integral e dão destaque à medicina preventiva (não da manutenção da doença), ao mesmo tempo que mantêm custos e uma ética que não comprometem a qualidade ou o resultado do tratamento.

Por desafiar alguns preceitos convencionais, em particular os aplicados na biomedicina, considerados como o único "conhecimento verdadeiro", essa forma de cura não ortodoxa pode não ser muito bem "digerida" inicialmente. Mesmo quando são apresentados fatos e observações empíricas, os relatos das curas espirituais muitas vezes não são aceitos com facilidade, pois o seu entendimento pode contradizer ensinamentos seculares e/ou a formação religiosa das pessoas.

O objetivo deste livro é apresentar informações valiosas de maneira objetiva, com o intuito de analisá-las de maneira crítica, sem desacreditar direta ou indiretamente nenhum indivíduo ou instituição educacional, científica, médica ou religiosa. Ele também procura dar uma ideia de alguns dos mal-entendidos sobre cura e práticas cirúrgicas psíquicas/espirituais dentro do contexto mais amplo da ciência médica, da filosofia e da moralidade. Para tanto, é fundamental descortinar as bases ideológicas dessas três disciplinas, que são parte integrante do trabalho de cooperação global entre as tradições espirituais e terapêuticas da humanidade e a biomedicina.

A cura espiritual tem uma profunda ligação com a alma humana. Os diagnósticos e tratamentos dessa modalidade de cura não podem depender apenas da medicina clássica, pois ela ainda não tem os conhecimentos, a preparação e o treinamento necessários para compreender, formular e implementar adequadamente um modelo de saúde que transcenda as barreiras da medicina tradicional. Princípios que têm sido validados por fatos e observações colhidas em várias partes do mundo, por todas as disciplinas acadêmicas, justificam uma consideração mais profunda.

Se reconhecessem com humildade outros aspectos importantes da experiência humana e os incorporassem ao paradigma médico, tanto a medicina quanto a humanidade em geral finalmente encontrariam um objetivo evolucionário muito mais amplo e significativo.

Somente abordando cientificamente profundas questões filosóficas, a humanidade será capaz de atingir um novo paradigma médico, que se adapte melhor às necessidades únicas do indivíduo. A cura espiritual no Brasil está aos poucos levando o ser humano à compreensão das verdades mais fundamentais que regem o corpo humano e as leis do universo.

Parte Um

Um panorama da saúde no Brasil

Capítulo I

Uma breve história das origens da cura espiritual no Brasil

A ideia de que os espíritos influenciam os pensamentos, os atos, a saúde e a doença não se originou na doutrina espírita nem no território brasileiro. Ela existe desde os primórdios da vida humana na Terra. Todas as religiões pregam, de uma maneira ou de outra, a existência de um mundo espiritual. Nenhuma nega completamente essas intervenções espirituais. E, através do tempo, muitas instituições religiosas criaram dogmas e cerimônias rituais em torno dessa crença universal no mundo dos espíritos.

Ainda hoje não é incomum encontramos fiéis rezando para entidades espirituais (como anjos, santos ou espíritos benevolentes), pedindo que levem as suas súplicas ao Criador ou simplesmente as atendam. No mundo moderno, ainda são comuns os exorcismos (para refrear um poder demoníaco e impedi-lo de causar mal ou para expulsar espíritos malignos de alguém possuído). Apenas de uma perspectiva histórica a medicina mediúnica brasileira pode ser examinada e compreendida.

Nativos do Brasil, os índios tupinambás certamente eram vitimados por doenças mesmo antes da chegada dos europeus. Eles contavam, porém, com o pajé da aldeia para interceder por eles, pedindo pela sua saúde e felicidade. Dotados de um conhecimento esotérico e empírico universal, e cientes das leis cósmicas universais relacionadas a questões de calendário, à agricultura, ao clima, à astronomia e à cosmologia, esses xamãs eram capazes de evocar as forças da natureza em benefício da saúde do seu povo e das suas necessidades de sobrevivência.

No entanto, os padres e a Igreja encaravam esses homens com poderes sobrenaturais como uma séria ameaça às suas campanhas de catequização e achavam que seus poderes deveriam ser extirpados. E cada vez que um curandeiro indígena sucumbia aos esforços de catequização dos sacerdotes europeus, a harmonia e o futuro da sua aldeia eram para sempre alterados.

Em suas manobras para converter "pagãos" em "pessoas de razão", os jesuítas europeus procuravam abafar a tradição da pajelança, classificando-a como uma prática de pessoas ignorantes, incompetentes e de reputação duvidosa. Isso fazia com que o único detentor de poderes sobrenaturais fosse o sacerdote, que passava a ser o principal intermediário entre o plano físico e as esferas espirituais superiores. O mais interessante, por outro lado, era que os padres não hesitavam em aprender com os índios sobre o seu avançado conhecimento etnobotânico, algo que acabou exercendo grande influência sobre o desenvolvimento da farmacopeia da Europa.

Em torno de 1530, os escravos africanos chegaram à Bahia, trazendo com eles a prática de cura e magia do seu povo. Os conhecimentos e sistema de crenças dos curandeiros africanos, juntamente com a sua tradição sagrada dos *orixás* (espíritos), logo se adaptaram às tradições de cura indígenas e europeias.

No entanto, como já acontecera com os povos indígenas do novo mundo, uma vez batizados cristãos os escravos africanos adotavam os santos cristãos e os combinaram criativamente com os seus próprios deuses. Segundo explicou Stanley Krippner (1987, pp. 274-275), "Olorum, o deus da criação, era chamado de Deus Pai ou Jeová. Obatalá, deus do céu e da pureza, fundiu-se com Jesus Cristo. A sua filha, Yemanjá, fundiu-se com a Virgem Maria", e os seus filhos, com outros santos cristãos. Ele acrescenta ainda que "não havia um orixá que correspondesse a Satanás na mitologia yorubá. O mais perto que se poderia chegar disso eram os *ifás* e os *exus*, mensageiros dos deuses e guardiões dos templos que eram espíritos travessos, os quais às vezes misturavam as orações das pessoas e conferiam a elas os pedidos de outras" (p. 275). Os espíritos eram considerados muito importantes nas cerimônias de cura.

O domínio que os africanos tinham sobre os poderes sobrenaturais estendia-se à prevenção e neutralização de feitiços, assim como à magia branca. No entanto, os seus métodos de cura eram vistos pelos europeus com mais desprezo do que as práticas de cura dos indígenas brasileiros. Aos olhos dos colonizadores portugueses e espanhóis, a visão de mundo africana estava mais imersa na idolatria, na superstição e na submissão a poderes sobrenaturais do que a indígena. E chegou-se até mesmo a proibir que os escravos africanos usassem plantas para cura e cirurgias. Quando se tratava de questões de saúde, não se podia nem mesmo consultar um escravo.

Embora a visão de mundo dos portugueses pré-coloniais sem dúvida incluísse a existência de forças místicas, a Igreja não considerava as atividades que envolviam poderes sobrenaturais, como a preparação de poções de amor e amuletos e a divinação, nem boas nem ruins, mas moralmente neutras. Foi apenas nos séculos seguintes à colonização que o Cristianismo passou a ver os poderes mágicos e sobrenaturais como obras de Satanás (Voeks, 1997).

Os escravos africanos, cientes da sua posição inferior no novo mundo, consideravam a magia europeia muito mais poderosa do que a deles própria. O fato de eles serem escravos e os europeus, senhores, já era considerado prova suficiente de que esses últimos também tinham controle sobre as forças sobrenaturais. Mas, em vez de abandonar as próprias práticas, os escravos adotaram o repertório de cura europeu. Esse sincretismo aos poucos deu ao curandeiro afro-brasileiro mais status e poder aos olhos do povo e da classe governante. O posto de curador, herbalista, adivinho e pajé, assim como o de mago e feiticeiro — vago desde o extermínio dos tupinambás —, acabariam por ser ocupados pelos pais e mães de santo, sacerdotes e sacerdotisas afro-brasileiros da religião yorubá conhecida como Candomblé, a religião dos orixás. Esse sincretismo entre as crenças indígenas, africanas e católicas ocorreu naturalmente, uma vez que elas apresentavam grandes semelhanças (Voeks, 1997).

A crença yorubá de que a comunicação transcendental é um meio para se atingir determinado fim continuou no Candomblé praticado principalmente no estado da Bahia e está presente em muitas outras cerimônias e rituais religiosos. Segundo Robert Voeks, "As cosmologias de ambas as religiões são essencialmente panteístas; reconhecem tanto um deus superior, distante e na maioria das vezes inacessível aos mortais, quanto um panteão de divindades menores, a quem se fazem apelos diretos durante períodos de adversidade. Como os deuses e deusas yorubás, vistos como heróis divinos na antiguidade africana, os santos católicos foram um dia pessoas comuns cujos feitos excepcionais foram imortalizados a ponto de se tornarem mitos. E, como os seus equivalentes da África ocidental, os santos assumiram certas características: domínio sobre a natureza, controle da fertilidade e influência sobre a saúde".

No terreno fértil da tradição espiritual do Candomblé, surgiu uma nova influência, quase três séculos depois, com *O Livro dos Espíritos*, de Allan Kardec. Lançado no Brasil em 1875, esse livro escrito na França, a partir de informações transmitidas por espíritos, ajudou a estabelecer importantes princípios com relação à comunicação entre o mundo físico e o espiritual. Essa obra, um clássico da literatura espírita traduzido para 45 idiomas, enfatiza a necessidade da transformação interior e do autoconhecimento como caminho para a plenitude e a realização pessoal na Terra.

Outros livros de Kardec, entre eles *O Evangelho segundo o Espiritismo*, ajudaram muitos brasileiros a redefinir os conceitos de sofrimento humano, imperfeição e doença. O espiritismo (também chamado "kardecismo") propunha um novo regime terapêutico. Uma nova vida, baseada no estudo sistemático de textos espirituais e científicos esclarecedores, oferecia um promissor caminho de evolução rumo ao nosso Eu Maior.

No final do século XIX, o espiritismo e o movimento em prol da difusão da homeopatia, trazido da Alemanha e profundamente estabelecido, deram ímpeto ao fenômeno brasileiro seguinte: o movimento de cura espírita. Esse movimento aconteceu graças sobretudo aos trabalhos altruístas do dr. Bezerra de Menezes, que, depois estudar a filosofia e a doutrina espírita, imediatamente se identificou com o conhecimento espiritual dos livros de

Kardec e tornou-se um fervoroso defensor dos ensinamentos evangélicos de Jesus Cristo. O dr. Bezerra de Menezes foi a figura mais influente do movimento de cura espírita, assim como de outros movimentos sociais de sua época. Conhecido como o Doutor dos Pobres ou o Kardec Brasileiro, o dr. Bezerra de Menezes passou toda a sua vida lutando em prol de muitas causas humanas — os direitos humanos dos pobres, os direitos e a libertação dos escravos e o movimento espírita.

O espiritismo (também chamado "kardecismo") propunha um novo regime terapêutico. Uma nova vida, baseada no estudo sistemático de textos espirituais e científicos esclarecedores, oferecia um promissor caminho de evolução rumo ao nosso Eu Maior.

Uma das vozes mais conscientes e ativas do século XIX, o dr. Bezerra de Menezes fundou vários centros e comunidades espíritas em todo o país, e em 1888 tornou-se o presidente da Federação Espírita do Brasil. Ele atendia aos pacientes pobres sem pensar em receber algum tipo de pagamento. Mesmo depois do seu falecimento, continuou sendo lembrado como uma espécie de santo popular entre brasileiros de todas as classes. Muitos acreditam que o seu espírito benevolente continua a atuar no reino espiritual por meio de médiuns de cura como João de Deus, fundador da Casa de Dom Inácio, em Abadiânia.

Na virada do século XX, outros grupos espiritualistas semelhantes ao Candomblé surgiram no Rio de Janeiro, entre elas a Umbanda, que também destacava a importância da incorporação de espíritos nas cerimônias religiosas, além de reverenciar Jesus Cristo e utilizar nomes cristãos em vez de denominações africanas. Embora os três grupos espiritualistas apresentem diferentes aspectos cerimoniais e ritualísticos (o kardecismo não tem rituais), eles possuem várias crenças em comum: "(1) os seres humanos têm um corpo físico e um corpo espiritual; (2) os espíritos desencarnados estão em constante contato com o mundo físico; (3) os seres humanos podem aprender a incorporar guias espirituais com o propósito de cura" (Krippner, 1987, p. 276). Esses três importantes agrupamentos sincréticos, o *Candomblé*, o *Kardecismo* e a *Umbanda*, contribuíram para delinear uma parte importante da conjuntura espiritual brasileira como a conhecemos hoje. Embora esses grupos sejam responsáveis por grande parte da ideologia religiosa brasileira, não se pode deixar de mencionar a importância do catolicismo neste país.

A população de católicos apostólicos romanos no Brasil é a maior do mundo. Em 2009, aproximadamente 68,4% da população brasileira era católica*. Hoje, predomina nos brasileiros a formação de um forte caráter católico e fraternal, graças aos mais de quatrocentos anos de catolicismo, trazido para o Brasil durante as campanhas de catequização.

Francisco Cândido Xavier, um renomado médium morador de Uberaba, estado de Minas Gerais, nascido na fé católica e posteriormente considerado o mais respeitado médium do Brasil, foi eternamente grato aos esforços "heroicos" da igreja católica para introduzir Jesus Cristo na vida de muitos brasileiros. Chico, como era mais conhecido, dizia que as massas deviam se alegrar pelo papa ter visitado o Brasil e pela igreja católica ter contribuído tanto para o surgimento de muitas congregações cristãs no país.

Chico sentia que todos deveriam ser gratos pelo amor de Cristo irradiado para o Brasil por meio da igreja católica. Ele também agradecia ao Criador pela liberdade de pensar, discernir e seguir uma das muitas religiões cristãs. O seu discurso eloquente e delicado em favor das igrejas cristãs não tolerava nada que não fosse respeito e admiração pela igreja católica.

Esse grande espírito de luz acreditava que "amar a Deus e toda a Sua criação é praticar a religião — a religião de Deus". Ele também acreditava que o caminho espiritual iluminado pelo amor fraternal e norteado pelos ensinamentos de Cristo, se empreendido corretamente, levaria a humanidade a se tornar mais receptiva às mensagens e ensinamentos imortais de seres superiores de luz. A compreensão dessas mensagens e a assimilação de todas as lições de progresso que elas podem ministrar à humanidade trariam ordem e progresso a todos.

---

* Segundo uma pesquisa do Centro de Políticas Sociais da Fundação Getúlio Vargas, a porcentagem da população que se declara católica caiu de 73,8% em 2003 para 68,4% em 2009. Os seguidores do espiritismo se mantiveram praticamente estáveis (de 1,5% em 2003 para 1,75% em 2009), assim como os praticantes das religiões afro-brasileiras (de 0,23% para 0,35%). O levantamento foi feito a partir de dados de mais de 200 mil entrevistas da POF (Pesquisa de Orçamento Familiar), do IBGE. (N. do E.)

Chico Xavier, um mensageiro da paz que passou a vida iluminando corações, foi uma figura marcante na história da espiritualidade brasileira. Personalidade proeminente no mundo todo, Chico psicografou mais de quatrocentos livros, seguindo as mensagens esclarecedoras de Kardec e Bezerra de Menezes. Os seus livros foram traduzidos para dezenas de idiomas e todos os lucros advindos do seu dom divino foram doados aos pobres. Ele nunca lucrou com os direitos autorais desses livros.

A mais notável façanha de Chico Xavier foi, no entanto, a sua capacidade de conciliar a doutrina kardecista espírita com o catolicismo tradicional, um esforço monumental quando se consideram a diversidade cultural, o amplo território geográfico e a grande população católica do Brasil (que conta com mais de dois milhões de espíritas, uma maioria que em muitos casos também segue o catolicismo). Isso indica que muitos se identificavam com o propósito sincero de Chico Xavier.

Cumprindo o seu intento, Chico Xavier elaborou com criatividade uma nova forma de catolicismo popular. Para transcender o espiritismo cristão de Kardec, os brasileiros tiveram que substituir os antigos sistemas antagônicos, caracterizados pela ordem tradicional, institucional e dogmática, por uma ordem de amor universal e mais humana — uma verdadeira fraternidade.

Personificação da consciência, da compaixão e da humildade cristã, Chico Xavier é considerado por muitos como a Madre Tereza do Brasil. Em 1981, ele concorreu ao Prêmio Nobel da Paz e, até a sua morte, em julho de 2002, continuou sendo a mais humilde e amorosa expressão dos ensinamentos de Cristo. Brasileiros de todas as classes sociais amaram-no e continuam até hoje a lhe prestar homenagens. Com os seus ensinamentos fraternais do Evangelho, Chico passou a simbolizar a profetizada frase "ordem e progresso" impressa na bandeira brasileira.

A proverbial tolerância religiosa dos brasileiros também atraiu um grande influxo de denominações protestantes a partir do final do século XIX, entre elas anglicanos, batistas, luteranos, metodistas e presbiterianos. Depois da Segunda Guerra Mundial, novos grupos desembarcaram no Brasil: Testemunhas de Jeová, mórmons, pentecostais e a Igreja do Evangelho

> *Amar a Deus e toda a Sua criação é praticar a religião — a religião de Deus*
>
> *— Chico Xavier*

Quadrangular. O Templo da Boa Vontade, em Brasília, talvez o maior centro ecumênico do Brasil, atrai dignitários e líderes religiosos de todas as partes do globo.

Em São Paulo, o cardeal da Igreja Católica Apostólica Romana Dom Cláudio Hummes tenta continuamente ampliar o diálogo com a ciência, a razão, a filosofia, a cultura e a sociedade. Afirmando não ser fundamentalista, o cardeal admite que existem muitas questões sociais, econômicas e políticas que necessitam de soluções mais modernas.

O Brasil, em sua expressão imortal da vida espiritual, passou a representar, para o mundo inteiro, o alicerce de um novo modo de pensar. Com a colaboração de Allan Kardec, Bezerra de Menezes, Chico Xavier e João de Deus, como outros médiuns autênticos, o Brasil promete ser a nação que levará a humanidade ao seu Eu Maior.

Como se pode ver pelo Congresso Nacional de Médicos Espíritas e pelas várias filiais (inclusive internacionais) da Associação Médico-Espírita, muitas classes profissionais já se organizam para estudar e ampliar os paradigmas doutrinários em todos os campos da atividade humana.

A Associação Médico-Espírita, cuja missão é contribuir para o estudo e as pesquisas científicas da Medicina e do Espiritismo, tem como objetivo informar profissionais de saúde a respeito da importância de respeitar e tolerar as crenças e religiões dos pacientes na prática da Medicina Espiritual; promover o paradigma médico-espírita por meio de cursos e outros meios de comunicação, como livros e outras publicações; contribuir com a implantação desse novo paradigma médico ao redor do mundo, e ajudar na formação de médicos que promovam profissionais e instalações médicas mais humanas.

Capítulo 2

A cura espírita no contexto de outros sistemas de saúde e da biomedicina

A antropologia médica, um campo empolgante que estuda o modo como os indivíduos do mundo todo abordam questões de saúde, doença e cura, descobriu que muitas antigas tradições de cura ainda são praticadas, embora as civilizações em que um dia se originaram não existam há séculos. À medida que aumenta a popularidade dos métodos alternativos ou complementares de cura, essas várias tradições milenares passam por um renascimento. Quando se compara a medicina moderna com os métodos antigos de cura, observam-se algumas semelhanças, mas a diferença mais marcante entre elas é a falta do elemento espiritual no modelo biomédico corrente.

A classificação das doenças de etiologia sobrenatural foi completamente negligenciada pela medicina clássica. É importante ter em mente que a exclusão de uma classificação espiritual das doenças do modelo médico não significa que esse tipo de doença não exista, mas simplesmente que a medicina convencional achou por bem não incluí-la na classificação corrente. Precisamos apenas nos lembrar de que, em seus primórdios, a cosmologia (a ciência que estuda a origem e a estrutura sistemáticas do universo) baseava-se apenas na investigação metafísica. Por fim, depois de muitos anos de estudo rigoroso, essa ciência ganhou a aceitação das ciências físicas. Portanto, é só uma questão de tempo até que a cura espiritual/psíquica passe a ser um campo aceito na medicina científica clássica.

O cabedal de conhecimento médico a nós franqueado pelos vários sistemas de cura do mundo antigo nos mostra importantes princípios cosmológicos e teológicos que a medicina moderna ignorou. Essas tradições antigas tinham alguns pontos em comum: 1) a importância do equilíbrio (interior e exterior) na manutenção da saúde; 2) o trabalho com os campos de energia humanos; 3) a importância do estilo de vida, da alimentação e do exercício físico; 4) a influência de espíritos nas doenças e na dimensão sobrenatural da cura (fé e orações); 5) a ideologia com relação ao conhecimento, à pureza, à harmonia e à bondade. Entre outros aspectos importantes da cura estão a prevenção (por meio da alimentação, do exercício, do relaxamento/meditação/ritual), a desintoxicação e a regulação dos humores para o equilíbrio físico, emocional e mental.

Muito interessante é o conceito japonês de purificação: o respeito às regras da vida, de acordo com as leis da natureza, promove a saúde e a qualidade de vida. A purificação dá ênfase à limpeza tanto do corpo físico quanto dos corpos externos. Se levarmos em consideração as altas taxas de longevidade do povo japonês, percebemos quanto vale a pena refletir sobre esse conceito.

Quando se compara a medicina moderna com os métodos antigos de cura, observam-se algumas semelhanças, mas a diferença mais marcante entre elas é a falta do elemento espiritual no modelo biomédico corrente.

Outra importante característica da medicina oriental, particularmente a tibetana/budista, é o fato de considerar a compaixão como o aspecto mais importante da medicina. Cada uma das tradições de cura orientais representa um sistema completo de medicina, que leva em conta o ambiente, a alimentação, o comportamento e o estado mental do paciente, além das estações do ano, os ciclos celestiais e a influência espiritual.

No mundo ocidental — as tradições mesoamericanas e dos índios norte-americanos —, descobrimos nativos cujo repertório medicinal inclui anatomia, diagnósticos, medicamentos e teorias de cosmologia e teologia.

Os grupos nativos norte-americanos e mesoamericanos tinham um sistema codificado de remédios mesmo antes que a primeira escola de medicina fosse fundada no novo mundo, o que significa que, antes da chegada dos europeus, os povos indígenas não eram, de maneira nenhuma, primitivos.

Na base de todas as tradições de cura antigas está o objetivo supremo da libertação do espírito. Descobrimos o mesmo elemento na cura espiritual brasileira. Os latino-americanos souberam sobrepujar o senso religioso. Os brasileiros, comparados com os latino-americanos de cultura hispânica, têm um caráter "espiritual" (*versus* religioso) bem mais forte. Embora a cura mediúnica tivesse definitivamente o seu lugar na cultura e nas tradições de cura latino-americana hispânica, existia por trás dela a ideologia dogmática tradicional maior da religião institucionalizada, que na América Latina hispânica é representada sobretudo pela igreja católica.

Salvo, entre outras exceções, os cultos sincréticos da Santeria em Cuba, no Panamá e na República Dominicana e a adoração à Santa Muerte no México, a América Latina hispânica, por ter um caráter religioso mais "dogmático", em geral não aceita a realidade do curandeirismo, particularmente nas práticas de cura mediúnica. Qualquer tentativa de se fazer contato com espíritos desencarnados é vista com desaprovação. Permite-se, porém, que se façam orações a anjos e santos canonizados. E, embora o conceito de reencarnação nunca tenha feito parte dos dogmas da Igreja, ele é cada vez mais um tema de discussão entre os estudiosos da Bíblia que analisam os evangelhos cristãos editados, suprimidos ou apócrifos.

Embora isso ainda esteja no plano da especulação, talvez se revele que a omissão do tema da reencarnação de todos os ensinamentos da Igreja seja algo que tenha servido aos interesses políticos e militares. Porém, esse não é o ponto principal aqui. O mais relevante é a importância de se viver a vida presente em harmonia e fraternidade, vivendo-se com amor, verdade, justiça e a paz do Criador.

Para os espíritas brasileiros, é só uma questão de tempo até que a verdade sobre o mundo secular de hoje seja revelada. Segundo eles, quando se deturpa e manipula as verdades do universo, cria-se um antagonismo com as forças da natureza e isso acaba se refletindo na ordem política, econômica e social.

O hábito de se viver num mundo secular focado principalmente na aquisição de bens materiais e, muitas vezes, caracterizado pelo egoísmo, levou a humanidade não só a perder muitos aspectos valiosos da experiência humana, como também a desviou de outras verdades. Esse é um grave problema, particularmente quando causa mal-entendidos comuns que afetam todos os aspectos da sociedade. O dr. Stanley Krippner fez a mesma observação, durante uma entrevista com o dr. Jeffrey Mishlove, com relação à cura espiritual como um fenômeno que tende a ser confundido com culto místico ou feitiçaria:

"Você sabe que a pior magia negra é a que praticamos contra nós mesmos. É a feitiçaria que nos prejudica quando temos pensamentos negativos ou quando cultivamos ideias destrutivas com relação a nós mesmos ou quando dizemos coisas hostis e negativas contra a nossa pessoa e os que estão ao nosso redor, e essas sentenças ficam dando voltas na nossa mente. Não surpreende, então, que as pessoas tenham dor de estômago, dor de cabeça, dor nas costas, com esses pensamentos negativos rondando. E, sim, para mim isso é como uma feitiçaria, e pode ser exorcizado, no melhor dos casos. Se você quiser chamar de espírito malévolo, tudo bem. Se quiser chamar de pensamento negativo, tudo bem também. Mas tanto o espírita quanto o psicoterapeuta, ou ambos, têm que lidar com essa negatividade e eliminá-la para que a pessoa se recupere" (Mishlove, 1998).

Não se pode negar que a compreensão da natureza sagrada da cura espiritual (com a assistência de espíritos benevolentes) não é uma experiência acessível a todos, principalmente porque o caráter sagrado da vida não é percebido por todos igualmente. O discernimento, o espírito da verdade, assume um novo significado nesse caso.

Um exemplo disso é demonstrado pelo Evangelho, quando Jesus Cristo fala às pessoas do templo sobre a sua missão: "Vocês não ouvem a voz de Deus porque os seus ouvidos estão fechados. Não podem compreender as obras de Deus porque os seus corações estão cheios de si mesmos (Dowling, 1979, p. 214). Algumas pessoas tentam apedrejar Jesus, mas ele as detêm e lhes pergunta por qual das suas boas obras elas o estavam apedrejando: curar os doentes ou expulsar os maus espíritos?

A modernização, a secularização e os avanços tecnológicos fizeram com que o espírito da verdade fosse inegavelmente distorcido, o que afetou diretamente todos os sistemas de valores e a sacralidade da vida. Isso é muito bem ilustrado pela visão mecanicista da medicina convencional, segundo a qual a doença consiste numa série de problemas técnicos que necessitam de soluções técnicas. Um sistema de valor que é então reforçado na prática pelas expectativas do público dá, consequentemente, mais valor à excelência técnica. Como resultado, a sociedade tem médicos com um desempenho profissional excelente em termos técnicos, mas pobre em termos humanos, algo que pode ser observado principalmente nos sistemas públicos de saúde.

Embora os aspectos econômicos e políticos do tratamento público de saúde sejam extremamente importantes para que se compreenda a sua ineficácia, eles estão muito além do escopo deste livro. O caráter sagrado da profissão médica, porém, faz parte do nosso tema. É importante saber até que ponto a medicina popular e a biomedicina diferem com relação a esse caráter "sagrado" para compreender por que produzem resultados tão díspares.

Destacando a diferença entre a medicina convencional e as tradições da medicina popular, Kaja Finkler observa que "O espiritualismo está contido num mundo sagrado, enquanto a biomedicina é sancionada pela ciência secular" (1994, p. 179). De acordo com suas pesquisas, a medicina popular e os modelos biomédicos têm diferentes cenários físicos, crenças etiológicas, diagnoses e repertórios de tratamento, razões para prática e diferenças no relacionamento médico-paciente.

Finkler argumenta que, na biomedicina, o ponto central da cura de um paciente é o médico, a sua persona, conhecimento e reputação. O paciente que seguiu o tratamento prescrito e conseguiu atingir os resultados desejados, ou até indesejados, atribui isso ao médico. Ele melhora (ou piora) por causa da competência (ou incompetência) do profissional de saúde para curá-lo. Nesse modelo, o paciente procura o médico para aliviar o seu

O paciente que seguiu o tratamento prescrito e conseguiu atingir os resultados desejados, ou até indesejados, atribui isso ao médico. Ele melhora (ou piora) por causa da competência (ou incompetência) do profissional de saúde para curá-lo. Nesse modelo, o paciente procura o médico para aliviar o seu sofrimento.

sofrimento. Depois de alterar os seus hábitos de alimentação e seguir exatamente o tratamento prescrito, ele espera a cura. Porém, na biomedicina, o médico só trata os efeitos da doença.

Por outro lado, o ponto central da cura popular/espiritual é o paciente. Nesse caso, o agente de cura (em geral orientado por entidades espirituais) afasta os "espíritos malévolos" que estão causando a doença e os sintomas dela podem se amenizar, na maioria das vezes graças às práticas de limpeza e purificação da aura realizadas pelo curador e os seus auxiliares espirituais. A cura espiritual no Brasil, assim como a que acontece no México, conforme descreveu Finkler, dá ênfase à responsabilidade do indivíduo com relação à própria saúde e aos cuidados consigo mesmo. A diferença no foco é, portanto, uma das maiores divergências entre a cura espiritual e a biomedicina. A medicina clássica, regida pelo mecanicismo e por um caráter reducionista-materialista, acabou por exacerbar o relacionamento entre médico e paciente.

Inspirado, em sua maior parte, nas antigas tradições de cura dos africanos e dos indígenas, o Brasil é uma das poucas nações do mundo que conseguiu sintetizar esse vasto e inestimável conhecimento médico, filosófico e espiritual (moral) de algumas das maiores tradições de cura e espirituais do mundo e a construir um modelo espiritual mais prático e efetivo de cura integral.

Embora tenha um componente espiritual semelhante ao dos modelos de saúde homeopático e holístico universal, o conceito espiritual brasileiro é ligeiramente diferente em virtude do uso que faz de técnicas de cura mediúnicas. O trabalho com a ajuda de espíritos benevolentes, que para os céticos talvez pareça uma ideia bizarra e ilusória, pode ser compreendido com mais clareza se empreendermos, como a seguir, um estudo mais aprofundado do modelo de cura espiritual, do ponto de vista único dos espíritas brasileiros.

Visão geral de um modelo espiritual de cura

No modo de ver dos espíritas brasileiros, a saúde integral requer que a alma viva num estado puro de existência ou, pelo menos, num processo constante de purificação. Essa condição é atingida por meio do esforço individual em termos de trabalho, estudo (relacionado principalmente à educação espiritual) e boas obras. Segundo a visão espírita brasileira, a transformação pessoal necessária para se obter a saúde completa ocorre educando-se a alma com conceitos morais básicos relacionados às leis da natureza.

Muito desse conhecimento espiritual é adquirido por meio do estudo do Evangelho Cristão e da doutrina espírita (kardecismo) — um modo de vida científico, filosófico e moral que promove o cuidado preventivo e um regime de diagnósticos e tratamentos para muitas condições médicas conhecidas e desconhecidas.

Ao contrário do modelo clássico de medicina, o modelo espiritual afirma que o relacionamento entre a alma e o corpo está inextricavelmente ligado à saúde da pessoa. Sem diagnóstico e tratamento adequados (que não ignorem a dimensão espiritual do ser humano), não é possível atingir níveis de consciência mais elevados, a transformação pessoal fica inevitavelmente prejudicada e a cura pode não ter um efeito duradouro.

A doutrina espírita, que sublinha os princípios cósmicos da reencarnação, do karma, da lei de causa e efeito e da caridade fraternal, supostamente contribui para uma compreensão mais ampla do significado e do propósito da vida do indivíduo dentro do contexto maior da evolução humana. Da perspectiva da saúde, essa doutrina mostra uma conexão clara e ampla entre a condição moral da pessoa (a condição da sua alma), o equilíbrio ou desequilíbrio dos seus corpos energéticos e a sua condição de saúde. (Em outras palavras, um forte inter-relacionamento entre alma, perispírito e corpo físico, respectivamente.) As pessoas que vivem com base nessa doutrina, portanto, têm uma definição de saúde e doença mais profunda do que as definições limitadas do atual paradigma médico convencional.

Um princípio central da cura espiritual é a visão do corpo humano como uma rede de vários sistemas energéticos que se influenciam reciprocamente. Quando a alma está em equilíbrio com o perispírito (o invólucro humano semimaterial espiritual e físico) e com o corpo físico, o indivíduo goza de boa saúde, mas, quando ocorre o desequilíbrio, surge a doença.

Essa é uma ideia que vai além da perspectiva newtoniana mecanicista geralmente aceita pela medicina alopática, segundo a qual o corpo físico é a única dimensão da existência humana. A cura espiritual, por outro lado, baseia-se no paradigma einsteiniano, que reconhece que energia e matéria são duas manifestações diferentes da mesma substância universal, e vê os seres humanos como múltiplos campos de energia em contato com o sistema físico e celular.

Desde os dias em que Einstein revolucionou o mundo científico, testemunha-se um movimento lento em direção ao conceito holístico da cura integrativa, exemplificado aqui pela abordagem emergente do dr. Richard Gerber, a medicina vibracional. Por enquanto, esse conceito está em seus primórdios e ainda precisa ser plenamente integrado ao modelo alopático. O dr. Richard Gerber, em seu livro progressista, *Medicina Vibracional* (1988), reintroduziu conceitos antigos de energia e os aplicou a sintomas patológicos observados hoje em dia, dando um novo ritmo e direção à medicina alopática. Sua ciência inovadora propõe que, manipulando e ajustando os desequilíbrios emocionais/energéticos, um praticante treinado em medicina energética pode fornecer um diagnóstico com mais rapidez, propor um ajuste energético necessário e inequívoco (sintonizando o paciente com a frequência de que ele precisa) e, principalmente, ajudá-lo a se reconectar com suas origens espirituais e encontrar o caminho de volta para a saúde emocional, espiritual, mental e física. Em última análise, a medicina vibracional permite integrar plenamente todos os órgãos doentes e fragmentados ao corpo integral, usando para isso a sabedoria da natureza.

Mas, para que a cura ocorra, o amor precisa ser a energia predominante. Ideais de transformação (como a mudança no estilo de vida e na alimentação, mudanças pessoais visando a um eu mais elevado e relacionamentos melhores) precisam ser colocados em prática para que os centros energéticos da pessoa sejam reativados. Isso, consequentemente, deve restaurar o propósito espiritual do paciente e o equilíbrio cósmico que harmoniza qualquer desequilíbrio, acabando por restaurar a sua saúde debilitada.

Capítulo 3

Aspectos científicos, filosóficos e morais da medicina convencional e espiritual

Os médicos brasileiros treinados na medicina moderna e que adotaram uma visão mais holística da saúde e da cura, assim como médicos do mundo inteiro que estão redescobrindo um senso renovado de sacralidade na medicina científica, agora reconhecem a grande necessidade de se transcender o estudo do fenômeno químico-físico relacionado ao metabolismo biológico humano. Eles acreditam que a medicina clássica limitou os seus estudos ao corpo físico e ignorou completamente o aspecto multidimensional do ser humano.

O atual modelo psiquiátrico alopático, ao abordar o funcionamento da mente, também segue uma etiologia puramente orgânica, como ela é estruturada nas complexidades do metabolismo neuroendócrino. Do ponto de vista puramente científico, quando se trata de cura, a alma tem sido rejeitada, com o argumento de que ela só existe fora da arena empírica e não se encaixa nos padrões da observação, medição e experimentação da investigação científica atual.

Sem receber a atenção que merece, a alma não é objeto da devida investigação científica pelo fato de ser considerada um fenômeno não verificável e, portanto, difícil de explicar ou compreender em termos científicos. Contudo, para os brasileiros que acreditam que o desenvolvimento dessa área da pesquisa científica seja a sua herança natural, a cura espiritual não é uma área em que não se possa apresentar informações fundamentadas ou passíveis de comprovação. A cura espiritual, no Brasil, é, isto sim, um campo legítimo de pesquisa, que tem sido abordado de maneira crítica e constante, nos níveis científico, filosófico e moral.

Se tudo o que é analisado cientificamente propicia uma interpretação racional, então a cura espiritual é científica. Sabemos que a maioria dos processos fisiológicos e biológicos é baseada em interações químicas que podem ser explicadas. Em poucas palavras, o objeto de pesquisa de toda ciência é o intercomportamento e as inter-relações de dois ou mais fenômenos com o seu ambiente (na biologia é o intercomportamento de organismos com o seu ambiente e, na psicologia, o intercomportamento de organismos com outros organismos ou objetos inorgânicos).

O comportamento entre organismos (sejam orgânicos e/ou inorgânicos) que estão sob as mesmas condições e interagem mutuamente constitui um campo com limites definidos. No caso da cura espiritual/psíquica, o princípio básico por trás dessa modalidade de cura tem sido estabelecido não por agentes de cura espirituais, mas pela pesquisa científica de coisas materiais. A ciência demonstrou, além de qualquer dúvida, que nada nunca aconteceu sem uma causa e que toda causa resulta em algum tipo de efeito.

Ao contrário do que muitas pessoas pensam, a cura espiritual não é explicada pelas religiões e sistemas de crenças espiritualistas, mas por disciplinas sujeitas à validação, como a ciência, a medicina, a biologia, a fisiologia, a antropologia médica, a cosmologia, a teologia, a filosofia, a religião, a parapsicologia, a psicologia teísta e a física quântica.

Descobertas científicas cada vez mais frequentes, em particular no campo da psicologia transpessoal, têm aberto novos horizontes para o estudo e a interpretação de muitos fenômenos psíquicos, possibilitando o reconhecimento de conceitos como consciência, subconsciência e supraconsciência. O interesse cada vez maior pelo estudo da mediunidade, em particular a mediunidade de cura, agora nos permite classificá-la cientificamente como uma predisposição psicobiológica inerente àqueles que, sob certas circunstâncias, são capazes de captar os pensamentos de espíritos desencarnados, sentir e/ou ver o plano astral e estabelecer contato com o mundo espiritual. Os brasileiros, que estudam o fenômeno orgânico e psíquico da mediunidade há mais de um século, são os líderes mundiais na compreensão básica dos princípios de cura mediúnicos.

Os atuais investigadores da cura espiritual demonstram que os agentes de cura têm campos energéticos com propriedades únicas, que permitem uma verdadeira troca de energia com os pacientes. Pesquisadores como a bioquímica Justa Smith descobriram que a cura espiritual não é um resultado de efeitos psicossomáticos, como muitos pensaram durante séculos. As pesquisas da dra. Smith indicam que os agentes de cura têm a capacidade de afetar seletivamente diferentes sistemas enzimáticos, levando-os a apresentar maior organização e equilíbrio energético (Smith, 1973).

Ao acelerar diferentes reações enzimáticas, o agente de cura ajuda o corpo a curar a si mesmo — algo para o qual os médicos alopatas não são treinados. O agente de cura, portanto, proporciona ao paciente o impulso energético necessário para levar todo o seu sistema energético de volta à homeostase. Um impulso de cura dessa magnitude tem propriedades negativamente entrópicas e auto-organizadoras que ajudam as células a criar ordem a partir da desordem, além de rotas seletivamente definidas de expressão celular. Essa e outras descobertas recentes envolvendo plantas e animais são exemplos científicos do efeito causado pelo agente de cura sobre o processo de cura dos organismos biológicos.

Ao acelerar diferentes reações enzimáticas, o agente de cura ajuda o corpo a curar a si mesmo — algo para o qual os médicos alopatas não são treinados.

É importante observar que os organismos biológicos mencionados nesse estudo eram, todos eles, não humanos. Foram utilizados plantas, animais (camundongos) e sistemas enzimáticos não humanos para eliminar da experiência o caráter sugestionável e a crença dos sujeitos. Estudos como esse demonstram a existência de um intercâmbio energético terapêutico observado e mensurado entre os agentes de cura e os sistemas biológicos.

Essas pesquisas nos direcionam para uma análise mais aprofundada do corpo energético. O futuro da medicina pode muito bem estar na nossa capacidade de controlar essa energia e de ajudar as pessoas de modos que ainda não conseguimos. São pesquisas como essas que deram a alguns cientistas a firme convicção de que os campos magnéticos desempenham um importante papel na cura do corpo e no funcionamento dos processos imunológicos.

O campo da parapsicologia tem se enriquecido com os trabalhos do professor Michael Persinger, líder do Grupo de Pesquisa em Neurociência (Laboratório de Psicofisiologia) da Laurentian University, no Canadá. A hipótese do professor de que as ondas de ressonância Shumann, de frequência extremamente baixa, podem servir como veículo para as informações *psi* (fenômenos psíquicos envolvendo o sexto sentido, isto é, canalização, clarissenciência, clarividência, telepatia mental, visão remota etc.) provou-se verdadeira. O mais interessante, porém, é sua observação da variação do campo magnético da Terra. A área de menor intensidade magnética do planeta está no Brasil, perto do Rio de Janeiro. A vantagem dessa localização geográfica, em termos de fenômenos psíquicos e espiritualidade crescente, poderia explicar a capacidade dos brasileiros de se comunicar com o mundo espiritual e o seu potencial para liderar o mundo em sua evolução espiritual.

Embora as pesquisas científicas a respeito dos benefícios da oração sobre a saúde ainda estejam engatinhando e existam, inclusive, alguns estudos que mostrem que ela não afeta o processo terapêutico, há um corpo de provas, pequeno mas crescente, a respeito do efeito positivo da oração sobre a saúde e o bem-estar em geral. No livro *Handbook of Religion and Health* (2001), Koenig, McCullough e Larson reconhecem que a prece intercessória faz bem à saúde (tanto mental quanto física). Nas análises críticas que fizeram de 1.200 pesquisas e quatrocentos estudos avaliativos, eles descobriram que o envolvimento com uma religião tem uma correlação direta com muitos aspectos de uma vida saudável (por exemplo, bem-estar, felicidade, realização, mais esperança e otimismo, menos ansiedade e mais senso de propósito e sentido na vida).

Em pelo menos mais uma fonte que apoia essas descobertas, *The Relaxation Response* (2000), o dr. Herbert Benson, especialista em medicina comportamental da Harvard University conta que estudou, durante mais de trinta anos, os efeitos da meditação e da oração sobre a saúde. Nesse livro, ele mostra que os pacientes podem vencer muitos males relacionados ao estresse por meio da repetição de uma palavra, um som ou uma prece. Nesse instituto de medicina mente-corpo, as modalidades básicas e eficazes de autotratamento do dr. Benson são a tal ponto aceitas que podem se tornar uma terceira opção em tratamento de saúde, depois das intervenções cirúrgicas e dos medicamentos.

Também com respeito aos efeitos positivos da espiritualidade sobre o processo terapêutico, podem ser citadas as descobertas de Larson, Milano e Lu (1988), pesquisadores que também investigavam os efeitos da oração sobre a cura. Eles descobriram que essa é uma área de pesquisa que definitivamente beneficia a humanidade e, portanto, requer mais investigações. Apesar dos estudos publicados, segundo os quais a religião alivia o sofrimento do paciente e ameniza os comportamentos autodestrutivos, ajudando na promoção de um estilo de vida saudável, as provas empíricas ainda não receberam a devida atenção nem foram pesquisadas apropriadamente.

Não há dúvida de que os novos achados continuam a corroborar a afirmação de que os pacientes a quem falta o interesse pela espiritualidade são os que correm maiores riscos de contrair doenças. Quem também apoia essa tese é o dr. Dale Matthews, da Georgetown University. O dr. Matthews descobriu que 75% dos estudos acerca dos efeitos da espiritualidade sobre o processo de cura são positivos. A necessidade de uma dimensão espiritual confere significado à vida. E isso tem consequências fisiológicas bem definidas.

Como o dr. Raphi Kelman ressalta, "Se não conseguimos fazer com que os pacientes ativem o seu interesse por significado (embora eles o definam), não temos sucesso na cura" (Lerner, 2000, p. 215). O dr. Kelman, assim como a mensagem do rabino Michael Lerner, dá ênfase à negação coletiva da sociedade com relação ao espírito e ao modo como isso tem reprimido sistematicamente as nossas necessidades humanas, especificamente a nossa percepção da saúde e da doença. É justamente a teoria filosófica dualista de espírito e matéria, saúde e doença, bem e mal, natural e sobrenatural que, segundo os espíritas brasileiros, pode fornecer à humanidade uma compreensão maior da medicina.

Só quando a ciência e a religião chegarem a um acordo, isso será possível. O grande significado filosófico da cura espiritual fornece respostas sólidas e lógicas às eternas perguntas da humanidade: *De onde viemos?... Para onde vamos?...*

Diferentemente da medicina clássica, a cura espiritual restabelece a conexão entre o paciente e os princípios cósmicos mais amplos da sua existência: a lei do karma (causa e efeito) e da reencarnação, que, nos protocolos de tratamento, ajudam a identificar uma verdadeira etiologia para a doença. A cura espiritual fornece, acima de tudo, profundidade psicológica, promovendo uma revolução de ideias e pensamento crítico sobre o indivíduo e o mundo em que ele vive, principalmente quando as condições sociais, políticas, econômicas e de saúde e moral são irracionais.

> *A necessidade de uma dimensão espiritual confere significado à vida. E isso tem consequências fisiológicas bem definidas.*

Como o estudo de emoções, sentimentos, pensamentos e ideais não pode ser expresso apenas em termos materiais e físicos (porque a consciência humana — a alma — requer um estudo do reino espiritual), uma compreensão mais ampla ocorrerá quando os investigadores transcenderem os sentidos físicos. Tal conhecimento transcendental, que vai além do reino dos sentidos, é flagrante nos ensinamentos de Jesus Cristo. Em *The Aquarian Gospel of Jesus the Christ* [O Evangelho Aquariano de Jesus, o Cristo], escritura apócrifa cristã do início do século XX escrita pelo pastor americano Levi H. Dowling, Jesus elucida os filósofos gregos acerca das realidades visíveis e invisíveis:

"Não estou aqui para falar de ciência, de filosofia ou de arte; disso sois os melhores mestres agora. Mas todas as suas grandes conquistas nada são além degraus para mundos que estão além do reino dos sentidos; são meras sombras ilusórias projetadas nas paredes do tempo. Todavia, quero contar-lhes sobre uma vida além, interior; uma vida real que não pode acabar. [...] Sem o auxílio do Espírito Santo, o trabalho do intelecto tende a resolver os problemas das coisas que vemos e nada mais. Os sentidos foram ordenados para trazer à mente meras ilustrações das coisas que um dia acabam; eles não abrangem a lei eterna. O homem, porém, tem algo em sua alma, algo que rasgará o véu para que ele possa ver o mundo das coisas reais. Podemos chamar esse algo de consciência espiritual; ela está adormecida em todas as almas e não pode despertar até que o Espírito Santo passe a ser um hóspede bem-vindo [...] Não existe poder no intelecto para virar a chave; a filosofia e a ciência empenharam-se, ambas, para conseguir um vislumbre do que há por detrás do véu, mas as duas falharam. Na vida, a fonte secreta que jorra pela porta entreaberta da alma só é tocada pela pureza da vida, pela oração e pelo pensamento imaculado" (Dowling, 1979, p. 84).

Mensagem perspicaz essa, de que nem a ciência nem a filosofia, sozinhas, têm todas as respostas. Elas só serão capazes de encontrar o verdadeiro sentido de todas as coisas quando ambas desenvolverem um senso agudo de discernimento espiritual, por meio de uma compreensão moral mais ampla.

O ser humano, por meio do seu poder inato e conhecimento do reino da alma, é levado naturalmente ao seu eu superior. Bons agentes de cura têm uma compreensão avançada do reino espiritual. Mas só por meio do esforço evolucionário adquire-se discernimento, uma percepção importantíssima que ficará adormecida até que desperte na alma humana.

Por fim, a cura espiritual como os brasileiros a conhecem requer uma compreensão moral das virtudes humanas mais elevadas: amor universal, senso de justiça, respeito e tolerância (solidariedade fraternal), pois esses são instrumentos naturais básicos que permitem ao indivíduo viver em perfeita harmonia com o seu ambiente e, portanto, viver a sua existência física de um modo mais completo e equilibrado.

A cura espiritual fornece, acima de tudo, profundidade psicológica, promovendo uma revolução de ideias e pensamento crítico sobre o indivíduo e o mundo em que ele vive, principalmente quando as condições sociais, políticas, econômicas, e de saúde e moral, são irracionais.

Um entendimento moral mais amplo, obtido com o aperfeiçoamento da alma por meio de lições divinamente inspiradas (ensinamentos cristãos assim como outros ensinamentos espirituais iluminadores, oriundos de muitas outras tradições espirituais do mundo) ajudarão as pessoas a se conhecerem melhor, com a ideologia do bem e a ajuda do paciente na descoberta de um propósito genuíno.

Ideais maiores de transformação pessoal englobam o amor fraternal (que inclui especialmente os pobres de espírito e os inimigos) e o envolvimento num trabalho em prol do bem comum. Aquele que verdadeiramente se esforça para promover o progresso da humanidade demonstra compaixão e disposição para perdoar, tem fé na vida, pratica a caridade fraternal e a humildade e usa e distribui conscientemente as suas riquezas, sem colocar os bens materiais acima dos valores espirituais.

Com amor (o catalisador da moralidade), uma pessoa que se dedica ao serviço e vive para os outros revigora a sua vida, dependendo do teor e do grau dos gestos benevolentes que pratica. É importante que o amor e o conhecimento andem juntos, pois conhecimento sem amor pode resultar em autodestruição ou insanidade, e amor sem conhecimento pode levar ao fanatismo.

O homem sucumbiu facilmente à sombra do dogma, da ortodoxia, da política e da ganância — todas elas forças distantes do centro da criação de Deus. O distanciamento de Deus é um empecilho para o verdadeiro entendimento da consciência. Sem uma compreensão genuína do que uma vida consciente exige de todos os mortais (reverência pela natureza [Deus] e cooperação entre os seres humanos), atingir a Unidade (o equilíbrio perfeito) torna-se uma tarefa quase impossível. Portanto, se a falta desse centramento é causa das doenças da humanidade, um plano de tratamento efetivo deve incluir um realinhamento com o ponto central do qual a pessoa se distanciou.

O ser humano, por meio do seu poder inato e conhecimento do reino da alma, é levado naturalmente ao seu eu superior.

Fé, otimismo e oração, vivenciados num clima de esperança, no qual a pessoa tenha o auxílio e a orientação do Sopro do Espírito, são os mais valiosos recursos que os seres humanos têm para recuperar a saúde. A preguiça e a falta de fibra moral só serão finalmente superadas quando a humanidade crescer exponencialmente em consciência, a ponto de não haver mais diferença entre a vontade do indivíduo e a vontade divina.

Parte Dois

Maximizando a medicina espiritual

Capítulo 4

Conceitos da visão de mundo espiritual brasileira

O objetivo deste capítulo é apresentar três conceitos significativos que compõem a cura espiritual brasileira: a alma humana e a sua imortalidade, o sistema energético humano e o papel das emoções humanas na saúde e na doença. Quando esses três temas estiverem mais claros no mundo biomédico, haverá mais possibilidade de que todos os sintomas do paciente sejam mais bem compreendidos, diagnosticados de modo mais completo e tratados com mais eficácia em termos de saúde e custo-benefício.

A alma humana

Para os espíritas brasileiros, a alma e o espírito são, na verdade, dois aspectos de uma única entidade. Em outras palavras, a alma/espírito é um *continuum* de uma unidade sagrada que conecta o aspecto vibracional do ser espiritual ao aspecto material do ser humano. A alma é a essência imortal que dá vida ao corpo biológico e faz parte da sua constituição em níveis sutis de energia. Como alma, o espírito assume uma forma biológica para evoluir e ganhar mais lucidez por meio do conhecimento e das experiências terrenas que adquire. Todas as almas são criadas iguais, simples e ignorantes.

Por meio de renascimentos sucessivos em corpos físicos (reencarnação), a alma adquire, por meio de seu próprio esforço e livre-arbítrio, condições de atingir níveis superiores de consciência. A reencarnação, de acordo com a Lei da Imortalidade da Alma, significa que a alma sobrevive à morte física e oferece ao ser humano a oportunidade de iniciar uma nova existência (uma nova forma biológica) para que possa atingir o seu mais elevado nível de evolução e manter a sua individualidade ao longo de sucessivas encarnações.

A reencarnação concede à alma que cometeu faltas em encarnações anteriores a oportunidade de nascer outra vez e corrigir os erros cometidos, as suas negligências ou indiferenças. Quando o espírito está disposto a corrigir essas suas tendências negativas, a reencarnação possibilita que a alma atinja níveis elevados de evolução espiritual. De acordo com a doutrina espírita, não existem várias vidas, mas uma vida eterna com diversas fases de evolução, em diferentes encarnações físicas.

> *De acordo com a doutrina espírita, não existem várias vidas, mas uma vida eterna com várias fases de evolução em diferentes encarnações físicas.*

A alma reencarnada não é uma folha de papel em branco, pois traz com ela uma predisposição diretamente relacionada com as suas vidas passadas em outros pontos do cosmos, ou mesmo em outras dimensões da realidade infinita do universo. Essa predisposição seria resultado de tendências, conhecimentos e experiências que se mantêm impressos na alma. Esse conceito fundamental de encarnação, um pilar central do espiritismo, está estreitamente ligado aos conceitos de imperfeição humana, doença e sofrimento. A doença, no contexto do sofrimento humano, é vista como um agente purificador, necessário para a evolução da alma.

Depois da morte física, essa entidade não é mais uma "alma"; fora do corpo físico ela se transforma em espírito, pois passa a viver em liberdade no reino espiritual. É nesse ponto que a entidade espiritual não é mais considerada parte da matéria física viva em seu nível sutil. A alma, quando não está unida ao corpo, é espírito.

Como afirma Kardec, "Não é o espírito um ser abstrato, indefinido, apenas concebível pelos pensamentos: é um ser real circunscrito, e que, em certos casos, é apreciável pelos sentidos da visão, da audição e do tato. Pertencem os espíritos a diversas classes; não são iguais em poder, como não o são em inteligência, saber e moralidade. Os da primeira ordem são espíritos superiores, que se distinguem dos outros pela perfeição, conhecimentos, proximidade de Deus, pureza de sentimentos e amor do bem: são os anjos ou espíritos puros. As outras classes afastam-se cada vez mais dessa perfeição. Os das camadas inferiores inclinam-se à maioria das paixões: ódio, inveja, ciúme, orgulho etc., e alegram-se no mal" (Kardec, 2003, p. 11).

São as entidades espirituais de ordem superior, que habitam as esferas superiores do reino espiritual, que ajudam os médiuns de cura. Esses espíritos continuam a se elevar no plano espiritual de acordo com sua benevolência.

É a Lei Natural de Causa e Efeito que se torna manifesta nesta e em etapas futuras do caminho evolucionário. De acordo com essa lei rigorosa, cada pessoa recebe de acordo com os atos que praticou (bons, ruins, produtivos, improdutivos etc.). Essa lei natural é a manifestação máxima da lição da Parábola de Cristo sobre o semeador, segundo a qual colhemos o que semeamos.

> *A alma reencarnada não é uma folha de papel em branco, pois traz com ela uma predisposição diretamente relacionada com as suas vidas passadas — influências, conhecimento e experiências que se mantêm impressas na alma.*

Um aspecto da Lei de Causa e Efeito, a Lei do Karma, está relacionado a graves erros na biografia evolucionária da pessoa. Os problemas de saúde derivados de causas kármicas manifestam-se desde o nascimento (na forma de doenças congênitas e deficiências físicas) ou ao longo da vida. O karma muitas vezes se manifesta sem uma causa aparente ou sem que haja uma explicação física ou médica, e pode ser atribuído a faltas cometidas pela alma no passado. Considerado a manifestação da lei cósmica no plano físico, o karma tem a finalidade de restaurar a harmonia, estimulando a pessoa a rever o seu sistema de crenças e a fazer o possível para harmonizá-lo com as leis do universo.

A Lei do Karma, portanto, torna-se o "equalizador" natural, que permite aos indivíduos enxergar as suas desventuras, dificuldades e sofrimentos como resultado de ações ou omissões no passado, para que possam então corrigi-las e desfazer o desequilíbrio cósmico que originalmente criaram. A expiação e a reparação dos erros são as melhores modalidades terapêuticas que existem, necessárias para a eliminação das imperfeições espirituais, psicológicas, emocionais e físicas causadas por erros do passado.

Basta o perdão decorrente da graça divina para apagar os erros humanos, mas a tomada de consciência de cada indivíduo também é indispensável para restaurar o equilíbrio individual, social e cósmico. A compreensão de que muitas faltas (individuais e coletivas) são cometidas contra as leis espirituais que regem a vida ajuda os pacientes a entender que o sofrimento deles é resultado de suas próprias escolhas.

O perdão requer uma compaixão genuína que releve a ofensa e liberte o ofensor. Ele é capaz, quando sincero, de transformar a saúde debilitada do indivíduo numa saúde moral e social mais completa. Para os espíritas brasileiros, o perdão é a chave para o Princípio da Paternidade Universal, é o que abre as portas da fraternidade. A ideia de que "hoje é você, amanhã pode ser eu" faz com que os espíritas procurem ajudar os que buscam a ajuda fraternal, estendam-lhes a mão ou, mais importante, ofereçam uma palavra ou gesto amigo e edificante. O espiritismo vê como uma obrigação moral ajudar os nossos irmãos e irmãs necessitados, fracos, ignorantes e moralmente menos esclarecidos a atingir o seu Eu Maior.

Ao aprender a cultivar o altruísmo, os espíritas brasileiros estão ensinando os seus irmãos a se tornarem membros ativos da renovação social e moral do planeta. Eles não só acreditam que a compaixão e as obras de caridade fraternal são essenciais como também insistem em preservá-las, fomentá-las continuamente e disseminá-las como algo indispensável a toda a humanidade.

Fomentando um espírito de renovação, principalmente compartilhando a Palavra com aqueles que carecem dos valores espirituais e morais do Evangelho, os espíritas brasileiros estão possibilitando uma compreensão maior da importância de se renunciar às coisas transitórias como o único caminho para se envolver mais ativamente com o progresso da humanidade.

A solidariedade, o construtor de todos os ideais edificantes dos servidores abnegados que contribuem para uma fraternidade ideal, adquiriu um significado novo na sociedade brasileira. A vida em sociedade, o equilíbrio entre forças contrárias, é escrita idealmente como o estado perfeito quando a ordem, a paz e a harmonia existem entre todas as pessoas. Quando um deles está fora de sincronia, isso cria uma grande discórdia, confusão e um sofrimento desnecessário.

É por isso que os espíritas do Brasil estão se empenhando para instilar no coração e na mente de todas as pessoas uma consciência profunda das consequências dos seus pensamentos e atitudes. A intervenção do mundo invisível, descobriram, é necessária para despertar as almas "indiferentes" para a noção de imortalidade e para a obrigação cósmica que os céus tributam a todos os seres mortais.

A solidariedade que os espíritas brasileiros pregam e procuram exemplificar vai além dos princípios básicos de solidariedade, como ela é comumente conhecida. Vemos isso na assistência fraternal oferecida pelos centros espíritas às pessoas necessitadas.

Esse conceito de solidariedade está inextricavelmente ligado ao conceito de vida após a morte e se evidencia melhor por meio do trabalho de caridade. A caridade não se limita à satisfação das necessidades imediatas corporais, psicológicas e emocional dos fisicamente necessitados, mas envolve a intenção mais profunda de libertar a consciência. Essa libertação se efetua quando o ser livra-se da ignorância que impede sua alma de ascender espiritualmente. A realização do Espírito consiste em ajudar os seres humanos a renunciar ao eu, para conseguir amenizar sua dor e sofrimento ou levá-los a um estado mais saudável, feliz e elevado. Esse é um sinal de evolução nos nossos tempos.

Segundo os ensinamentos de várias tradições religiosas orientais, "Todos aqueles que estão numa condição de infelicidade no mundo estão assim porque desejam a própria libertação. Todos aqueles que estão numa condição de felicidade no mundo estão assim porque buscam a libertação do seu semelhante". Buscar o progresso em direção ao bem comum faz parte da doutrina do Crescimento Infinito como pregado por Chico Xavier. Ensinar a confraternizar com os outros, principalmente compartilhando a Palavra com respeito a valores espirituais e morais; ensinar a ajudar os irmãos e irmãs que vivem na escuridão, na discórdia, na amargura e no egoísmo, eis o que significa buscar o progresso em direção ao bem comum. Chico Xavier compreendeu que o progresso individual e, mais importante ainda,

Considerado a manifestação da lei cósmica no plano físico, o karma tem a finalidade de restaurar a harmonia, estimulando a pessoa a rever o seu sistema de crenças e a fazer o possível para harmonizá-lo com as leis do universo.

o progresso coletivo são definidos pela condição da alma ou das almas que o impulsionam.

Quando as dificuldades e desafios se avolumam, o melhor a fazer é trabalhar e servir aos semelhantes e esquecer-se de si mesmo em meio a tudo isso. Como Chico Xavier recomendava aos seus seguidores, "Trabalhe mais servindo mais". A mesma mensagem, exatamente com o mesmo significado, encontramos nos ensinamentos de Cristo, que instruía a humanidade a não trabalhar pelo alimento que perece, mas pelo que propicia a vida eterna.

A caridade, do modo como é praticada pelos espíritas brasileiros, não é aquela que se faz quando se tem excessos materiais ou objetos de que não se necessita ou não se quer mais, mas aquela que se faz com a sincera disposição de servir.

Quando ajudamos o próximo a cumprir o seu propósito superior, fica bem claro que Deus incumbiu os seres humanos de cuidarem uns dos outros, da Terra, dos demais seres vivos; portanto, que Ele tornou os seres humanos completamente responsáveis pelo resultado da sua existência planetária. A compreensão de que todos fazemos parte do todo — parte da ordem eterna de todas as coisas — redefine os valores humanos, a nossa responsabilidade com relação ao planeta e todos os seres.

Reconhecendo o valor da interligação de toda a vida e sendo agente da transformação da realidade por meio do serviço aos outros, os espíritas brasileiros estão mostrando ao mundo que todos somos indispensáveis na manutenção deste planeta, na manutenção da nossa própria vida e da nossa própria saúde. Criar um planeta pacífico e altruísta, onde não exista o medo, é a única coisa que verdadeiramente importa.

Espiritualismo e espiritismo

Antes de concluir o capítulo, é fundamental esclarecer dois termos importantes que tendem a ser confundidos: *espiritualista* e *espírita*. O termo espiritualista refere-se a alguém que adota a filosofia de que os seres humanos são muito mais do que matéria apenas. Todas as religiões que aceitam a existência de um princípio independente da matéria no ser humano são espiritualistas. Contudo, para os norte-americanos e britânicos, esse termo define mais especificamente a crença de que os mortos se comunicam com os vivos por meio dos médiuns. Embora existam muitos paralelos entre o espiritualismo e a doutrina espírita, não se deve confundi-los nem usá-los como termos equivalentes.

O espírita, como define Allan Kardec, é aquele que se dedica à filosofia acerca da origem, da natureza e do destino dos espíritos, assim como do relacionamento destes com o mundo corpóreo. Como ciência, o espiritismo pode ser visto como a busca da verdade da natureza espiritual humana com o objetivo de ajudar a humanidade a se curar, progredir e evoluir. Os espíritas acreditam que o espiritismo não consiste propriamente na comunicação com os mortos. Acreditam, isto sim, que os médiuns se comunicam com o Espírito da Verdade — transmitindo conceitos da verdade que possam propiciar uma liberdade permanente à humanidade.

> *A intervenção do mundo invisível, descobriram, é necessária para despertar as almas "indiferentes" para a noção de imortalidade e para a obrigação cósmica que os céus tributam a todos os seres mortais.*

Embora tanto os espíritas quanto os espiritualistas considerem o progresso na vida eterna como principal objetivo da sua filosofia, ao contrário dos espíritas, nem todos os espiritualistas aceitam o princípio básico da reencarnação para atingir esse progresso. É evidente que tanto espíritas quanto espiritualistas acreditam na vida além da matéria física, mas só os primeiros acreditam na utilização dos conhecimentos, recursos e assistência inestimáveis do reino espiritual (que vão além do aspecto sensorial da incorporação física) com o único objetivo de ajudar a humanidade a se curar, progredir e evoluir.

Capítulo 5

A relação entre a alma, a mente, o corpo, a saúde e a doença

Os médiuns de cura espíritas diagnosticam as doenças físicas com base numa compreensão abrangente da alma e do perispírito. O diagnóstico das doenças dentro do paradigma espiritual requer que o médium entenda que muitos problemas de saúde derivam de desequilíbrios emocionais, mentais e espirituais; portanto, para que a cura ocorra, todos esses desequilíbrios precisam ser primeiro identificados e tratados de maneira adequada e individualmente. "A medicina, ao considerar apenas o aspecto material (físico), está se privando de uma incessante causa de ação. O conhecimento do perispírito é a chave para uma miríade de problemas clínicos de outro modo inexplicáveis" (Estrich-Pellegrino, 1997, p. 79).

O perispírito (formado por sutis invólucros de átomos) é o envoltório semimaterial que liga a alma e o corpo durante a vida biológica; é o meio pelo qual a alma (espírito) age sobre a matéria e a matéria age sobre a alma. A influência espiritual possui uma repercussão biológica, e comportamentos psico-orgânicos têm influência sobre o espírito. A mente, por abrigar sentimentos e emoções, revela-se um agente mais poderoso para gerar doenças e desarmonias do que bactérias e vírus conhecidos. O corpo físico, portanto, no paradigma espiritual, serve como um filtro para as impurezas da alma e é o veículo para a evolução espiritual.

Como seres espirituais vivendo uma experiência física (diferentemente de seres físicos passando por uma experiência espiritual), existe uma força recíproca entre a alma e o corpo, uma responsabilidade que se manifesta na mente humana. A alma é o centro de toda a sua potencialidade, onde todos os pensamentos começam a tomar forma. Ela abriga o caráter, a determinação, os pensamentos, a inteligência, a vontade, a ética, a consciência, os talentos artísticos, a erudição científica, a percepção religiosa.

De acordo com o dr. Roberto Brolio, as diferenças no comportamento humano estão relacionadas basicamente à alma, uma vez que os pensamentos, o intelecto, a vontade, o livre-arbítrio, assim como outras manifestações que caracterizam a maneira pela qual a pessoa pensa e age, são moldados pelas predisposições anímicas.

Os atributos da alma caracterizam a individualidade humana e não foram impostos por Deus, mas são escolhas do indivíduo e produto do seu trabalho, estudo e empenho, nesta e em outras encarnações. Por ser imortal, a alma não tem idade, ela evolui ao adquirir conhecimento e experiência, e desenvolvendo a sua individualidade ao longo do tempo. Isso explica por que uma criança pequena pode ter um intelecto mais desenvolvido do que outras da mesma idade e às vezes demonstra capacidades intelectuais e aspirações individuais que superam a de alguns adultos, que nunca demonstram sinais de iluminação e apresentam uma taxa medíocre de crescimento espiritual em sua existência física.

A alma (consciência), que contém a totalidade do conhecimento adquirido ao longo de toda a sua existência, se manifesta na matéria nos processos orgânicos, psíquicos e espirituais do ser humano, cuja mente é formada pela consciência, subconsciência e supraconsciência. No cérebro, essas três áreas (câmaras da morada mental) estão divididas e equilibram e restauram as forças do organismo físico.

> *A alma é o centro de toda a sua potencialidade, onde todos os pensamentos começam a tomar forma. Ela abriga o caráter, a determinação, os pensamentos, a inteligência, a vontade, a ética, a consciência, os talentos artísticos, a erudição científica, a percepção religiosa.*

Os profissionais de saúde espíritas, por compreenderem que o pensamento precede a forma (a forma emocional, fisiológica e/ou biológica) e que a consciência precede a matéria, podem abordar todas as doenças como processos mórbidos originados na alma. Suely Caldas Schubert, psicóloga espiritualista brasileira, em seu livro *Os Poderes da Mente* (2004), destaca que as capacidades da mente dependem totalmente da alma. Os atributos da alma produzem uma cadeia de pensamentos selecionados e dirigidos pela mente, que no cérebro humano é dividida em cérebro primário, ou reptiliano, córtex motor, onde está localizado o sistema límbico, e os lobos frontais, sede da inteligência e da supraconsciência latente.

Segundo a visão do espiritismo, o cérebro primário (o nosso sistema nervoso) é responsável pelos impulsos automáticos habituais, por arquivar a nossa vida imortal e por representar o subconsciente (as nossas vidas passadas). A segunda parte, o córtex motor (a zona intermediária) é o motor do nosso sistema energético, no qual residem a força de vontade e o livre-arbítrio. Essa é a parte consciente do ser (a nossa vida presente), onde as nossas qualidades nobres (que estão sendo edificadas no momento) são armazenadas. E, por fim, existe a área do cérebro que é menos conhecida pela ciência e pelos pesquisadores, os lobos frontais, onde se encontram as noções superiores (ideais e objetivos superiores) e os materiais da nossa ordem sublime, que aos poucos são acessados por meio do nosso esforço rumo à ascensão espiritual; o futuro supraconsciente — a área que permite à mente humana prever o futuro.

A mente humana, responsável por traduzir os conteúdos da alma com a bagagem que traz de vidas passadas e a sua perspectiva do futuro, ajuda na construção da realidade presente do indivíduo, sinalizando todos os processos de pensamento, emocionais e fisiológicos como uma expressão total das condições evolucionárias da alma. Ela, portanto, exerce uma influência direta sobre a saúde e o bem-estar do paciente.

Como ilustrado pelos métodos do dr. Carlos Alberto Jacob, o tratamento do paciente depende de uma das três causas prováveis da doença: "problemas da vida atual, problemas 'kármicos' de uma vida passada e problemas originários do mundo espiritual ou do seu desenvolvimento espiritual. No primeiro caso, o tratamento pode incluir medicamentos alopáticos e homeopáticos, acupuntura e/ou psicoterapia convencional. No segundo caso, a terapia de vidas passadas é necessária. No terceiro caso, as práticas espirituais (exorcismo, passes magnéticos, 'limpeza dos chakras', treinamento mediúnico, por exemplo) são indispensáveis" (Krippner, 1987, p. 287). De acordo com esse modelo de diagnóstico, pensamentos, sentimentos e emoções impressos na alma definem e influenciam diretamente a saúde e a doença.

A dor e o sofrimento do corpo físico são meramente transitórios e, além desses estados, é o sofrimento moral que serve como catalisador mais potente da evolução espiritual — um agente etiológico raramente considerado pela medicina clássica.

Capítulo 6

A energia criativa da alma

É sempre uma tarefa difícil definir um conceito que não pode ser visto ou tocado de maneira tangível por nenhum dos sentidos humanos. É justamente esse o caso quando tentamos explicar aos pacientes os desequilíbrios e as terapias energéticas. Para entender a transferência de energia realizada pelos curadores (por meio da incorporação de entidades espirituais benevolentes), é preciso entender também o conceito complexo de perispírito e campos energéticos humanos, que protegem o corpo humano e lhe conferem energia vital.

A física moderna demonstrou que a matéria é uma forma de energia. Em termos filosóficos, matéria sem forma é energia. Deus, por ser imaterial, é energia também. Os seres humanos, compostos de energia, contêm um sofisticado campo eletromagnético que proporciona a força vital essencial que a ciência só agora começa a compreender.

Existem importantes campos de estudo na ciência e na medicina que ainda não foram devidamente explorados. Os espíritas brasileiros acreditam que o estudo da energia eletromagnética levará os médicos à fonte da energia eletromagnética humana. Estes, sabendo que a energia eletromagnética requer uma fonte para ser ativada, estão ajudando a ciência a entender melhor o sistema energético humano e o seu papel na função biológica.

Muitas tradições relacionadas à cura e ao mundo espiritual incluem princípios relacionados ao sistema energético humano em seus repertórios médicos. Muitos espíritas brasileiros também usam princípios semelhantes. Como um sistema de energia luminosa dos corpos interiores e exteriores, o campo de energia humano inclui uma aura, o campo energético oval flutuante que cerca externamente o corpo e sete chakras principais, centros espiralados de luz do corpo humano, que funcionam como vórtices de energia. Pense nos chakras como sistemas humanos de luz interior. A aura e os chakras atuam sistematicamente por meio de uma rede de canais de energia sutil chamados meridianos.

A energia vital básica flui através do ser humano por meio desses centros; quando ocorrem bloqueios nesses canais, surgem as doenças. Tanto informações quanto energia luminosa fluem do cosmos, através da aura, até os chakras, depois de filtradas pelos meridianos. É assim que o mundo espiritual nos inspira e que a luz atinge as células do nosso corpo, conferindo-nos a energia potencial que sustenta a nossa vida. Cada campo de energia tem uma determinada função e influencia vários processos emocionais, mentais e físicos (fisiológicos).

Barbara Ann Brennan, autora de *Hands of Light: A Guide to Healing Through the Human Energy Field** (1987), descreve os acontecimentos energéticos dentro do campo áurico sempre como fenômenos que precedem os acontecimentos físicos. As suas descobertas comprovam a necessidade de mais agentes de cura energética para detectar doenças antes da sua plena manifestação no corpo físico. Além disso, é essencial manter o campo áurico funcionando de maneira equilibrada, para a manutenção da saúde. Os livros dessa autora são altamente recomendados para qualquer pessoa que queira se inteirar dos detalhes do campo energético humano e relacioná-lo com as questões de saúde e doença.

Cada um dos sete níveis correspondentes de energia presentes na aura tem a sua própria densidade e frequência. Cada nível possui uma frequência mais elevada que o anterior. As três auras principais (as camadas externas de luz que cercam o corpo) são visíveis para os agentes de cura. Essas camadas se apresentam na seguinte ordem, começando pela mais distante do corpo físico: a aura espiritual, ou corpo de luz; a mental, que inclui as

---

* *Mãos de Luz*, publicado pela Editora Pensamento, SP, 1990.

emoções; e a etérica, ou perispírito. A aura espiritual é a mais afastada do corpo físico e a que tem a frequência mais elevada. Dentro da aura espiritual está a aura mental. A energia que é transmutada em energia mental aparece na aura mental e reflete o estado mental da pessoa. A aura final, a etérica (mais próxima do corpo físico, a uma distância de uns vinte centímetros do corpo) reflete a saúde emocional e física da pessoa, pois é ela quem recebe a energia transmutada da aura mental.

A aura expressa as qualidades de um homem real e consiste na totalidade de suas forças e emoções. Ela revela o nível de desenvolvimento espiritual, as capacidades mentais e a natureza emocional, o seu estado de saúde, ou de doença, e o seu caráter. A aura, por ser o aspecto energético do corpo humano, é carregada de força vital, que vibra com os elementos cósmicos quando está em harmonia.

Quando a doença se manifesta nas camadas mais exteriores, a vibração dos campos energéticos fica mais baixa. O corpo físico, por ter a frequência mais baixa, reflete a desarmonia que se manifestou em energia densa. No caso de abuso de álcool, de drogas ou de vida impura, os campos energéticos se tornam densos, debilitados e suscetíveis a ataques de espíritos indesejáveis.

Uma explicação mais detalhada desses ataques espirituais é dada por Schwimmer, no livro *The Miracle Man*, de Robert Estrich-Pellegrino: "Considere o espírito colado à aura como uma bactéria. Quando estamos saudáveis, o nosso sistema imunológico é capaz de lidar até com a bactéria mais mortal. Mas quando ele está debilitado ou lesado, as bactérias e vírus instauram o caos. O mesmo se pode dizer das possessões espirituais. Se o campo energético da pessoa está saudável e forte, os espíritos não podem entrar" (1997, p. 87).

As ideias e emoções negativas, como a raiva, a ira, a inveja, a ganância, a tristeza, o ressentimento, o ódio, a vaidade, a intolerância, a amargura, o orgulho, a hipocrisia, os medos e até o fanatismo religioso, sendo formas definidas de energia, desempenham um papel fundamental na criação de bloqueios energéticos. Uma imprecação, um pensamento, sentimentos, emoções, palavras ou ações ruins são um veneno para a alma do indivíduo e atinge cada um dos seus átomos. Pensamentos e emoções cheias de veneno produzem tons discordantes, desarmonia e doenças.

Os sentimentos negativos consomem uma grande dose de energia vital, prejudicando o processo metabólico energético e criando uma grande quantidade de energia nociva e insalubre. Quando a produção dessas energias negativas excede a capacidade de distribuição e eliminação, ela se acumula nos órgãos ou chakras correspondentes, gerando bloqueios de energia vital em importantes terminais energéticos e criando um terreno fértil para o início de processos patológicos no corpo físico.

A ignorância do fato de que os indivíduos absorvem e irradiam energia o tempo todo por meio de pensamentos, palavras e ações impede que a medicina clássica considere o aspecto simbiótico da energia, dos pensamentos e das emoções humanas nos processos patológicos. Por não aceitar a influência da alma sobre o comportamento do indivíduo, os esforços da medicina clássica para modificar o temperamento humano e as suas emoções doentias precisam antes ser apoiados pelas disposições morais do espírito. Talvez isso explique por que esses esforços da medicina clássica para modificar o temperamento humano ainda não deram resultado.

O conhecimento espiritual leva a um controle maior das situações de conflito e de explosões emocionais e tem um efeito positivo sobre a maneira como elas são abordadas. O conhecimento espiritual também nos ajuda a derrotar os nossos próprios demônios interiores da avareza (egoísmo, poder e orgulho), do prazer (excesso de comida, álcool, sexo e drogas), da raiva (agressão, vingança, violência e ódio), do desânimo (depressão mental), da apatia (indiferença, falta de fibra moral) e do orgulho (vaidade, arrogância, presunção). O conhecimento espiritual ensina a pessoa a disciplinar e controlar seus sentidos e emoções.

Quando a doença se instala, o equilíbrio dos chakras do paciente promove cura e recuperação rápidas. A harmonização de qualquer desequilíbrio pode ser realizada por meio do "realinhamento" energético propiciado pela terapia com uma cama de cristais (explicada no capítulo 11, sobre modalidades de tratamento) e/ou da infusão astral de energia divina essencial, que proporciona um tipo de "impulso" capaz de reativar o organismo debilitado. Esse tipo de transferência de energia só pode ser realizado por meio de um médium de cura, que, servindo como um conduíte humano, permite que o paciente receba uma quantidade dosada de energia divina, só depois de reduzida a força da capacidade humana.

Assim como um transformador elétrico é um conduíte que reduz a voltagem antes de entrar num edifício com uma voltagem menor, o corpo do médium é um conduíte eficiente da energia divina para pacientes que precisam estabilizar a sua estrutura espiritual eletromagnética.

Desativação e reativação da energia: materialização, desmaterialização e rematerialização

Quando levarmos em conta que a existência física de um paciente passa constantemente por mudanças, e compreenderemos plenamente que, se a energia dele flui sem obstrução, isso se reflete no seu bem-estar físico e mental, a medicina finalmente avançará na direção certa. Aceitar que existe uma estreita relação entre a saúde mental de um paciente e seu bem-estar comportamental e físico deve nos ajudar a estabelecer o foco ético necessário na nossa abordagem de cura atual, especialmente se quisermos fazer progressos rumo à cura verdadeira da sociedade. Reconhecendo que a doença se inicia com as nossas percepções, comportamentos e bagagens emocionais doentias, descobrimos que pensamentos e sentimentos negativos, destrutivos e improdutivos têm o poder de causar um colapso organizacional em nosso organismo biológico. Mais importante, isso significa que uma mudança na percepção pode muito bem significar uma mudança na saúde mental, emocional, física e espiritual, exatamente como o dr. Bruce Lipton propõe com o seu novo e revolucionário princípio, a nova biologia da crença.

O sofrimento físico é um aspecto da doença física e o sofrimento moral da alma é outro aspecto mais profundo de dor física que exige uma análise cuidadosa e profunda da alma. As energias do Amor e da Fé são duas das energias mais poderosas que efetivamente mostraram tratar esses dois tipos de dor. Um paciente doente, em desarmonia com a energia vital essencial, vai exigir uma carga maior de energia, ou sua condição física, mental, emocional e espiritual só vai se deteriorar. A consciência da mente pode, portanto, ter o potencial de curar permanentemente até a menor forma de consciência do corpo. A mente consciente, assim como o corpo, às vezes se apega ao que é confortável, àquilo a que está acostumada, porque não lhe damos a chance de mudar. A doença torna-se então um indicador de guerra interior, uma guerra entre crescimento e acomodação. Para que haja uma restauração completa da saúde, o padrão de pensamento ou de atitudes deve ser transformado e passar para um estado superior de consciência do que é bom para o ser como um todo. A cura espiritual, segundo afirmam os auxiliadores do reino do espírito, ajuda a redirecionar a energia esgotada por percepções ou ações prejudiciais, e também auxilia na desmaterialização de tumores malignos e na rematerialização do tecido e dos órgãos tratados cirurgicamente (no nível espiritual), visando principalmente à corrente electromagnética do corpo espiritual, que também tem um efeito sobre todos os outros organismos.

A materialização da energia em células degeneradas ocorre quando o sistema de energia humana não consegue a proteção adequada do impacto negativo do estresse, das preocupações, das ansiedades, do abuso verbal, assim como das emoções negativas ou reprimidas (ódio, raiva, ciúme, inveja, ressentimento etc.). O excedente dessas energias negativas é armazenado na estrutura celular dos tecidos e cria uma grande distorção no fluxo harmonioso de energia, que só é corrigida quando os bloqueios são eliminados. Depois que a desarmonia foi detectada e tratada por um praticante da cura energética (médiuns de cura, inclusive), todos os outros níveis corporais de energias sutis são também afetados positivamente por meio de um sistema de destilação que filtra todos os corpos, até o âmago do ser.

A desmaterialização da energia ocorre quando o médium de efeitos físicos (médium de cura) cede o seu ectoplasma para desintegrar as células doentes criadas pela energia negativa do paciente. Além dos traços de personalidade negativos mencionados anteriormente, o quadro de deterioração energética de um paciente pode ser causado por outras deficiências físicas ou mentais (preconceitos, por exemplo), bem como por uma variedade de desequilíbrios kármicos (karma familiar ou ligado a vícios), que pode exigir uma revisão completa e a transformação desse karma. A transformação de um karma requer uma introspecção que pode levar o indivíduo a rever o seu sistema de crenças e a reconciliar suas verdades pessoais com as verdades do Universo.

A rematerialização da energia consiste na reabertura e depósito de energia eletromagnética saudável nos tecidos e órgãos desmaterializados ou desintegrados. Essa intervenção espiritual serve como um implante de células recém-revigoradas, livres de toxinas e impurezas. Trata-se de um tipo de intervenção terapêutica regenerativa que dá aos pacientes a possibilidade de começar uma vida nova. Esse enxerto de células ajuda a reintegrar e reativar o sistema energético do paciente, o que por sua vez confere um impulso adicional aos seus processos fisiológicos. Criando um novo fluxo de energia, esse processo de reorganização ajuda no restabelecimento da saúde, enquanto o sentimento maior de coragem e fé do paciente serve para a direcionar a força por trás desse fluxo energético

Quando os médicos convencionais aprenderem a lidar com a energia do paciente, reintegrando aquela que já foi desequilibrada, a medicina alopática vai dividir a glória da medicina celestial! Mas, mesmo quando a medicina convencional tiver compreendido a medicina energética, ainda terá de lidar com um determinante das doenças, a obsessão espiritual, que exige uma compreensão mais profunda da vida do espírito, no nível científico. De acordo com o psiquiatra espírita Luciano Munari, os espíritos obsessores têm a capacidade de manipular o ectoplasma de um indivíduo para lhe infligir a sintomatologia da doença. Esse tópico, no entanto, que introduz uma nova abordagem ao campo atual de investigação do sistema de energia humana, exige um estudo e uma avaliação mais aprofundados que está além do escopo desta obra.

Bruce Lipton reconhece que as nossas células ouvem a energia dos nossos pensamentos. Ao desenvolver a disciplina relativamente nova da medicina energética, permitimos a reformulação de conceitos sobre saúde e energia anteriormente ignorados pelos livros de medicina. Ao resgatar antigos conceitos de energia que estão sendo hoje comprovados pela física quântica, reintroduzimos o conceito antes ausente da influência do espírito sobre a doença e antecipamos diagnósticos e tratamentos que também podem ser reavaliados criticamente. Ao dar o devido valor ao reino do espírito e fazendo os ajustes necessários em nossa percepção, a humanidade avança também rumo aos seus ideais espirituais.

Parte Três

Aliança Paranormal Brasileira

"A aurora de uma nova civilização virá finalmente quando a humanidade se libertar de seus preconceitos culturais e abrir espaço para a criação de uma nova ordem científica que passe do conformismo, da natureza obtusa e das limitações físicas atuais para algo que possa coexistir com a autoridade legítima da Divina Sabedoria."

— *Herculano Pires, autor de Arigó, Vida, Mediunidade e Martírio*

Capítulo 7

A formação de um novo homem intuitivo

"A mente intuitiva é um dom sagrado e a mente racional é um servo fiel. Criamos uma sociedade que privilegia o servo e se esqueceu do dom."

— *Albert Einstein*

O advento de uma nova cultura logo implantará um marco importante na evolução planetária: uma capacidade cada vez maior de discernir o verdadeiro do falso, que levará a humanidade, enfim, a reconciliar a sabedoria inerente ao seu mundo interior com as realidades de seu mundo exterior. Chegou a hora de a humanidade dar um passo à frente e usar mais plenamente suas habilidades cognitivas superiores. Afastando-se da era secular do pensamento científico e adotando uma percepção nova e mais equilibrada, os seres humanos valorizarão e respeitarão igualmente a ciência e o misticismo, atribuindo às duas disciplinas sua posição de direito no Livro do Conhecimento, que não para de se avolumar. Há grande necessidade de que o pensamento crítico assuma uma função e um papel mais decisivos na sociedade. A compreensão mística tem o poder de abrandar nossa rígida e inflexível visão científica. Juntas, elas revelam à sociedade uma maneira de desviar os homens de seus muitos e nocivos preconceitos culturais e do condicionamento social, aproximando-os de uma visão equilibrada de uma nova ordem social.

A compreensão da realidade que vemos é, com efeito, apenas nossa ideia ou percepção dessa realidade. E ela deveria nos ajudar a entender o grande desafio que temos pela frente, que é captar o verdadeiro significado de todas as coisas (visíveis e invisíveis) como algo imaterial (*espiritual*). Para chegar a essa compreensão, o planeta inteiro precisa sofrer primeiro uma transformação radical. As pessoas devem, antes, se unir em suas crenças e ideais; essa luta, elas vêm travando desde o início dos tempos, como é evidente pelas espantosas narrativas de guerras, derramamentos de sangue e desolação humana. A luta sem trégua pela paz na sociedade pode ser comparada à destruição trazida pela Mãe Natureza com suas tempestades, furacões, terremotos e tsunamis, que ultrapassam o entendimento humano. No entanto, a desolação é imediatamente seguida pela paz sobrenatural que vem daquilo que foi perdido. É o tipo de paz que ajuda a reconstruir tudo com força e entusiasmo, do centro para o alto. Antes de abordar eficazmente a distorção entre realidades "percebidas" e realidades "reais", temos primeiro que analisar o desequilíbrio encontrado num ponto qualquer entre nossa intuição e nosso raciocínio humanos.

A visão que a humanidade tem do mundo material vem interferindo há muito tempo na sua apreensão de uma realidade espiritual que está presente na vida de todos. Isso explica por que hoje, para a maioria das pessoas, a realidade espiritual está aparentemente fora de alcance.

A física quântica, um campo da ciência moderna que vem sendo muito utilizado para explicar os fenômenos sobrenaturais, poderá ser a força motriz do "salto quântico" que levará as futuras gerações a se transformarem em seres humanos dotados de uma nova consciência. Substituindo visões obscuras por outras mais claras, amplas e objetivas, e esvaziando os conteúdos da mente consciente (onde, em muitos casos, predomina o ego), a sociedade pode começar a se reprogramar a uma nova luz, valendo-se dos ensinamentos da Consciência Superior/Universal. A consciência da humanidade deve finalmente se expandir; a tolerância, a aceitação e o amor devem aumentar em todos os níveis para, finalmente, coexistir lado a lado com o Espí-

A compreensão da realidade que vemos é, com efeito, apenas nossa ideia ou percepção dessa realidade.

rito da Verdade Universal. A mudança baseada no modelo de entendimento que temos hoje do universo para uma forma superior de encarar a realidade ocorrerá quando esse novo paradigma for finalmente favorecido com o peso de sua própria evidência; então, a evidência incontestável falará por si mesma.

No quadro da saúde mental global de hoje, vemos que os seres humanos descobriram meios engenhosos de ignorar o conflito interior, tratando suas ansiedades e doenças mentais de maneira racional, com drogas e tranquilizantes prescritos ou ilícitos. A dra. Gilda Moura, psicóloga clínica e hipnoterapeuta brasileira, propõe que as pessoas façam justamente o contrário, afirmando que a mente racional deve antes aprender a se livrar de sua racionalidade. Livrar-se dos medos, que paralisam a busca do *eu*, é fundamental, pois eles são tão intensos, tão constantes, que estão sempre criando confusão e desordem para todos. Ela pergunta: "Como conseguiremos a integração se, atualmente, existem tantas explicações e sistemas possíveis? Qual deles é a verdade confiável, a verdade absoluta? O homem quer desenvolver sua vida espiritual tanto quanto sua vida física, mas muitas vezes precisa deixar uma ou outra fora da discussão. O que deveria ser uma tarefa rápida e fácil, para muitos se torna demorada e complexa" (Moura, 1996, p. 23).

A dra. Gilda foi assistente de pesquisa sênior da Kairos Foundation em Chicago, Illinois, e no Brasil fez estudos relacionados ao mapeamento cerebral de pessoas abduzidas por OVNIs e em transe mediúnico, tendo publicado numerosos artigos sobre ambos os temas. Em suas conversas sobre a devastação do planeta, ela pergunta a seus pacientes como a humanidade irá se transformar, se ainda precisa identificar a força causadora de sua aflição e destruição? Em vez de aprender a integrar esses sistemas ou ideias, a humanidade tem realmente resistido à integração. O que deverá fazer para se conhecer mais profundamente? Uma das respostas possíveis da dra. Gilda é que a humanidade deve aperfeiçoar sua intuição, resgatando o uso do hemisfério direito do cérebro, pois assim encontrará finalmente o equilíbrio e a saúde.

Em seu trabalho sobre fenômenos paranormais, ela estudou durante décadas o mapeamento cerebral dos estados alterados de consciência em pessoas abduzidas por OVNIs e curadores paranormais brasileiros. Reuniu uma coleção única de informações referentes ao drama revelador dos abduzidos, mostrando que, em todos os seus estudos de caso, o drama inicial se relacionava ao despreparo e à atitude mental não condicionada dessas pessoas. Seu enfoque principal tem sido os estados alterados de consciência (EACs).

Em seu livro *Transformadores da Consciência* (1996), essa psicóloga transcreve os relatos de trauma feitos pelos próprios abduzidos e inclui informações sobre os subsequentes resultados energéticos nesses pacientes, que ela só começou a perceber após anos de pesquisas em parapsicologia, ufologia e fenômeno mediúnico. Ela observou pontos em comum entre eles, mas, conforme descobriu, a intensidade, o nível de consciência e a energia variavam.

Constatando que abduzidos, médiuns e místicos em geral compartilham experiências similares quando em presença da realidade de outros mundos, de onde absorvem grande energia, a dra. Gilda explica que os abduzidos se veem diante de uma força que é, por si mesma, capaz de desmantelar velhos dogmas, preconceitos e tabus; face a outra realidade, a transformação do eu pode acontecer. A pessoa tem de passar por essa experiência a fim de poder se identificar com uma nova percepção e visualizar todos os fenômenos por uma lente diferente, caso queira se sintonizar com o chamado da energia universal ou Consciência Superior.

A experiência mística não tem nada a ver com sistemas filosóficos, ensinamentos teológicos ou ocultismo: ela diz respeito à experiência direta com o Divino. Sendo a arte de estabelecer um relacionamento consciente com o Absoluto, o misticismo não pode apelar para a fé sentimental e para a emoção que a filosofia e a religião despertam. A experiência mística é apenas um apelo à Verdade Superior e Universal, que é a consciência.

Os terapeutas paranormais em todo o Brasil interagem com energias de seres extrafísicos, ou seja, entidades que estão fora de nosso mundo material (Moura, 1996). Desse modo, o Brasil, como uma grande pedra angular de espiritualidade e mediunidade, é acima de tudo um laboratório avançado de energias sutis que são manipuladas e exteriorizadas. Portanto, está totalmente envolvido no processo de transformação da "consciência" mundial, pois possui incontáveis médiuns e paranormais, além de um número infinito de formas para manipular essas energias (Moura, 1996).

A dra. Gilda Moura e Norman Don, um pesquisador paranormal americano, conduziram um estudo segundo o qual um médium que incorpora o dr. Fritz (o nome do médium não é citado) apresenta um aumento na frequência cardíaca, quando faz cirurgias espirituais, que às vezes ultrapassa os 40 Hz. O fenômeno ocorre tão logo se dá a incorporação. Esse tipo de frequência pode ser visto também em pessoas com níveis de concentração mais elevados, como neurocirurgiões, cientistas e pesquisadores em geral quando estão em atividade, e esse é o caso do médium do dr. Fritz sob observação. De fato, esse médium foi avaliado várias vezes. Suas características fisiológicas mudavam, havendo também, ao mesmo tempo, mudanças mentais.

> *No quadro da saúde mental global de hoje, vemos que os seres humanos descobriram meios engenhosos de ignorar o conflito interior, tratando suas ansiedades e doenças mentais de maneira racional, com drogas e tranquilizantes prescritos ou ilícitos.*

O dr. Amit Goswami observou o mesmo fenômeno ao trabalhar com médiuns; quando esses médiuns incorporavam uma entidade, ocorriam alterações concretas e mensuráveis. O dr. Goswami, físico quântico teórico, desenvolveu o conceito de "idealismo monoístico", segundo o qual a consciência e não a matéria é que constitui a base de tudo. Ele já apresentou uma teoria, a ser experimentalmente testada por estudos individuais e independentes, que deverá orientar futuros físicos quânticos e pesquisadores de cura quântica. Seus trabalhos corroboram muitas das descobertas da ciência moderna e estão em perfeita concordância com as verdades místicas mais profundas do universo. A física quântica não só é compatível com o misticismo como se transformou numa forma de ciência que, além dos seus campos clássicos de pesquisa sobre a origem, o âmago e a natureza da matéria, complementa o conhecimento proveniente de experiências religiosas, mediúnicas e místicas. Esse cientista revolucionário propõe que as pessoas repensem suas percepções atuais. Quando a física quântica ganhar pleno impulso, ajudará a definir e a promover a espiritualidade como mais um ramo do conhecimento humano a ser estudado pela ciência e a comprovar que os fenômenos místicos e paranormais são absolutamente reais e mensuráveis. Desse modo, o misticismo se tornará também um objetivo humano mais profundo, já que será, enfim, um conhecimento validado cientificamente pelo paradigma atual.

O estudo de médiuns de cura, como os do grupo que começou a exteriorizar esse fenômeno de forma mais acentuada há mais de cinquenta anos, com José Arigó e o dr. Fritz, também colabora para que a cura espiritual seja vista como um campo fértil para a pesquisa científica, além de promover ativamente um movimento responsável pela criação de uma nova consciência. Esse movimento é visível no número crescente de centros de cura espiritual e de curadores que surgem por todo o Brasil. Por exemplo, a Casa de Dom Inácio, em Abadiânia, no estado de Goiás; o Centro Paracientífico Dr. Fritz, em Rio Novo, em Minas Gerais; o Lar de Frei Luís, no Rio de Janeiro; e a Casa de Cura de Aylla Harard, em Guaratinguetá e Caçapava, no interior do estado de São Paulo; bem como muitos outros centros que não mencionamos neste livro.

Capítulo 8

Dr. Fritz e Arigó: o nascimento de um novo fenômeno de cura

"Em se tratando de Arigó, é preciso ver para crer: nenhuma descrição poderá dar uma ideia do poder e da força desse homem."

— *Dr. Lauro Naiva*

Como acontece com tudo o que é desconhecido e exige da psique humana uma nova compreensão, a resposta inicial costumeira é sempre de medo, depois de repúdio, até a informação nova ser processada, entendida, absorvida, aceita e partilhada. O caso do excepcional médium brasileiro Zé Arigó, que era instrumento do espírito do dr. Fritz, é um bom exemplo. Essa equipe revolucionária inspirou e modificou o conceito de mediunidade de cura no Brasil, a qual se limitava até então a um tipo de tratamento não invasivo, principalmente para obsessões, com passes magnéticos. A maioria das outras condições físicas e mentais era tratada pela harmonização de energias (processo terapêutico similar aos passes magnéticos).

Desde então, cirurgias psíquicas têm sido praticadas em todo o território brasileiro. Embora muitos jornalistas céticos insistissem em desacreditar Arigó, outros ficaram impressionados diante dessa nova e misteriosa forma de medicina: cirurgias espirituais "à moda brasileira". John Grant Fuller, em seu livro *Arigó: Surgeon of the Rusty Knife*, achou que o sistema de cura brasileiro como um todo merecia investigação, sobretudo o uso nada convencional de elementos paranormais tanto na cirurgia quanto na terapia. É espantoso como a humildade, a simplicidade e a inocência de um brasileiro "inculto" não apenas revolucionaram um país inteiro com suas instituições, mas também atraíram a atenção de outros povos e nações.

José Pedro de Freitas nasceu em 18 de outubro de 1921 numa fazenda da cidade de Congonhas, em Minas Gerais. Como sua família era muito pobre, Freitas só estudou até o terceiro ano primário. Amigos, familiares e as pessoas em geral o conheciam como uma pessoa franca, corajosa, que não tinha medo de dizer o que pensava. Desde os 32 anos, esse jovem curador, sem conhecimentos médicos, começou a ter dores de cabeça, insônia, transes e visões frequentes. Não se lembrava das observações que o dr. Fritz lhe fizera anos antes, enfatizando seu senso de justiça, solidariedade e generosidade. Certo dia, Arigó ouviu uma voz que parecia tomar posse de todo o seu corpo. Pareceu-lhe ver um homem calvo, vestido de branco, supervisionando uma equipe de médicos e enfermeiros numa enorme sala de cirurgia. A entidade se apresentou como dr. Fritz.

Esse foi o início do trabalho do espírito do dr. Fritz com Arigó, o início das lendárias cirurgias psíquicas brasileiras. Arigó confundia a mente daqueles que tomavam conhecimento de suas curas paranormais, com sua rapidez incrível e eficiência notável, quando servia de canal para o dr. Fritz. Com observadores e pesquisadores científicos, era um livro aberto, sempre pronto a responder às suas perguntas e convidando-os a participar ativamente dos trabalhos. Revelava uma vitalidade e uma eficiência únicas. Não era adepto do espiritualismo e não conhecia a doutrina espírita. Pertencia, como quase todos os brasileiros, a uma tradição católica devota. Tendo descoberto seu dom divino, passou a representar um desafio para os cirurgiões convencionais usando instrumentos grosseiros (principalmente uma faca de cozinha), sem recorrer a anestésicos ou a procedimentos básicos de assepsia. Com seu ritmo, velocidade e proficiência impressionantes, tratava mais pacientes em um dia do que muitos centros médicos universitários em uma semana, prova incontestável da confiança depositada no exercício de seus dons mediúnicos.

É espantoso como a humildade, a simplicidade e a inocência de um brasileiro "inculto" não apenas revolucionaram um país inteiro com suas instituições, mas também atraíram a atenção de outros povos e nações.

Arigó sempre foi um católico praticante. Esforçava-se para entender seu novo dom sobrenatural e as reações que provocava na Igreja Católica, na Federação Espírita e na Associação Brasileira de Medicina. Embora ele tivesse sacrificado a tranquilidade e a felicidade que antes gozava com a família, ninguém lhe dava apoio, particularmente as instituições religiosas, científicas e jurídicas, sempre indispostas contra ele. O estigma deplorável de um sistema de justiça retrógrado, de uma religião intransigente e de uma ciência insensível parecia que, pelo menos momentaneamente, iria marcar Arigó, mesmo estando ele sempre pronto a abrir o coração e os braços para acolher e tratar muitos que já haviam perdido o rumo ou a esperança de curar-se. Tudo o que ele queria era ser útil, colocando suas faculdades e seu "dom" irrestritamente a serviço dos outros.

Arigó sonhava encontrar uma autoridade que reconhecesse seu dom. Consultou um padre e, depois do conselho que recebeu, submeteu-se a uma série completa de exames clínicos e psiquiátricos. Nenhum deles indicou nada fora do comum. Logo depois disso, Arigó curou um velho amigo que se acidentara e precisava usar muletas. Isso o fez ver o bem que podia praticar com seus poderes de cura, se os empregasse em favor dos semelhantes. O religioso que ele consultara não aceitava a realidade das curas espirituais, mas outra figura da Igreja, o padre Pasonal, quis trabalhar com ele. Esse sacerdote, tendo presenciado fenômenos paranormais durante a Segunda Guerra Mundial e estudado parapsicologia e hipnose, estava convencido de que Arigó era um caso real de experiência parapsicológica e devolveu-lhe a confiança, garantindo: "Deus intervém no lugar certo, na hora certa" (Fuller, 1974, p. 69).

Depois que aceitou seu dom de cura, creditando-o a Cristo, Arigó começou a entender melhor os princípios do espiritismo, embora a Federação Espírita não se apressasse a endossar seus métodos. Lutava contra o sentimento de não pertencer a nenhuma religião, mas sem nunca perder de vista seus princípios. Logo depois, tornou-se objeto de profundo exame por parte de um titã brasileiro, o médico e espírita Ary Lex. Foi ouvido e examinado tanto pela Associação Espírita quanto pelo sistema médico brasileiro, graças à síntese erudita e ética elaborada por Ary Lex, diretor-executivo do Hospital das Clínicas de São Paulo, professor de cirurgia, prestigiado autor de obras na área de medicina e espiritismo, e membro ativo de numerosas associações médicas e espíritas.

Lex participava do movimento espírita havia mais de quarenta anos e, no começo, não acreditou muito em Arigó. Mas, ante o número crescente de casos que corroboravam a autenticidade do médium, resolveu visitar Congonhas. Após uma longa e meticulosa investigação, os médicos brasileiros e o gigante espírita concluíram que Arigó era, sem sombra de dúvida, um médium legítimo, que praticava curas reais.

Em virtude da perfeita conexão com o espírito do dr. Fritz, Arigó não precisava fazer perguntas sobre o histórico médico dos pacientes. Diagnosticava-os imediatamente e escrevia as receitas com incrível velocidade e precisão, às vezes sem sequer olhar para o papel. Vários escritores revelaram que padres, bispos e freiras procuravam Arigó a fim de se tratar; no entanto, com medo de represálias da Igreja, jamais vinham a público para defendê-lo. E não eram apenas membros da Igreja que iam consultá-lo. Faziam isso também profissionais de saúde, médicos, enfermeiros, advogados, deputados e figuras políticas de destaque; mas, nesse caso também, com medo de sanções profissionais ou judiciárias, mantinham suas experiências em segredo. Sem dúvida, as leis contra o curandeirismo eram seguidas à risca na época.

Muitos pesquisadores, relatando as curas paranormais de Arigó, mencionavam uma sensibilidade especial, uma espécie de atmosfera de ficção científica enquanto observavam tudo perplexos, tentando entender o que viam. Nas duas décadas que se seguiram até sua morte, milhares de pessoas que não recebiam a devida atenção médica ou simplesmente desacreditavam da medicina convencional, ou ambas as coisas, viajaram para Congonhas em busca de um milagre.

Segundo as anotações de Arigó, o espírito do dr. Fritz conhecera o espírito de Zé Arigó quando foram camaradas durante a Primeira Guerra Mundial, numa encarnação anterior. Anos depois, o espírito do dr. Fritz aceitou o convite de outro companheiro da Primeira Guerra Mundial, o espírito de Aleijadinho (Antônio Francisco Lisboa), para trabalhar no plano físico. (Aleijadinho foi um célebre escultor barroco, arquiteto e pintor fisicamente deficiente que viveu durante o período colonial brasileiro [séculos XVIII e XIX]. No entanto, só em encarnação posterior, durante a Primeira Guerra Mundial, é que fez amizade com Adolph Fritz.)

Muitos pesquisadores, relatando as curas paranormais de Arigó, mencionavam uma sensibilidade especial, uma espécie de atmosfera de ficção científica enquanto observavam tudo perplexos, tentando entender o que viam.

Os casos que transformaram Arigó em lenda

Ao escrever sobre o dr. Fritz, não é minha intenção exagerar os fatos ou fazer sensacionalismo. Mas devo admitir que constitui grande desafio manter absoluta objetividade em face de um fenômeno tão incomum.

Uma evolução sociocultural notável: a mediunidade, que começou com Arigó e desde então tem prevalecido no Brasil, exige uma compreensão sem paralelo, que processe informações livre de preconceitos ou medos, pois essa é a única maneira de abordar legitimamente fatos paranormais e transformar conceitos irracionais em algo mais perceptível pelos sentidos.

O primeiro caso que valeu a Arigó amplo reconhecimento envolveu uma personalidade brasileira muito conhecida, Lúcio Bittencourt. Senador de grande prestígio, Bittencourt anunciou publicamente que fora curado por Arigó. Ambos se encontraram por ocasião de um comício em Belo Horizonte, onde haviam se hospedado no mesmo hotel. Arigó entrou no quarto do senador em transe e, com uma lâmina de barbear na mão, operou-o. Na manhã seguinte, Bittencourt acordou e viu que seu pijama fora rasgado e que tinha algumas manchas de sangue no peito, sendo perfeitamente visível uma incisão em sua caixa torácica. Em estado de choque, saiu para ver Arigó, que declarou não se lembrar do acontecido, mas ajudou aquele homem confuso a entrar num táxi para procurar tratamento médico. Mais tarde, os raios X mostraram que não havia sinais do tumor maligno no pulmão. Feliz, Bittencourt cancelou sua próxima viagem aos Estados Unidos, aonde iria para remover os tecidos cancerosos. O médico confirmou o trabalho do dr. Fritz. Seu novo prognóstico fez o senador passar imediatamente do estado de completo desespero para o de eterna gratidão.

Assombrado diante da cura aparentemente milagrosa que acabara de ocorrer, Bittencourt deu a boa notícia para os familiares, amigos e colegas. Não demorou e começou a mencionar Arigó na tribuna. E foi graças à sua força e prestígio político que a fama de Arigó cresceu exponencialmente da noite para o dia (Fuller, 1974).

Outro caso espetacular que aumentou o reconhecimento de Arigó como curador autêntico foi o de uma parente dele. Ela estava prestes a receber os últimos sacramentos de um padre católico chamado às pressas para ungi-la. A família entristecida aguardava seu falecimento quando, de repente, Arigó introduziu uma faca na vagina da mulher e arrancou um tumor canceroso sangrento de seu útero! Então desmaiou e, quando voltou a si, disse que não se lembrava de nada. Os parentes, espantados, chamaram imediatamente o médico da mulher, que confirmou tudo: Arigó de fato removera o tumor canceroso. Ela se recuperou completamente, sem sequelas nem dor (Fuller, 1974).

Foi depois desse caso que a Igreja exigiu que Arigó suspendesse suas atividades de cura; mas, mesmo pressionado, ele continuou a ajudar aqueles que o procuravam. Nesse meio-tempo ele notou que suas dores de cabeça e alucinações cessaram. À medida que crescia a popularidade de Arigó, com um número cada vez maior de pessoas visitando-o, crescia também a preocupação da Igreja, para a qual era necessária uma prova científica. Decidiu-se, então, que as curas de Arigó seriam investigadas por pesquisadores acadêmicos da área da parapsicologia, algo mais aceitável para a Igreja. Na época, Bonaventure Kloppenberger, um membro da fé católica que criticava o espiritismo, mencionou em suas obras a concordância da Igreja em estudar a parapsicologia e o fenômeno mediúnico. Conforme cita Fuller (1974), "O católico pode estudar metafísica ou parapsicologia. Na verdade, cientistas católicos devem pesquisar essas matérias na universidade" (p. 78). Foi esse tipo de ambiguidade que permitiu a Arigó continuar ligado à Igreja, embora nem todas as autoridades eclesiásticas reconhecessem seus dons sobrenaturais. Aquelas que mantinham contatos com a Associação Médica de Minas Gerais queriam silenciá-lo por meios legais.

Muitas das pessoas por ele curadas supunham que essas curas se baseassem na metafísica. A multidão afluía para além da capacidade de sua pequena casa em Congonhas e o centro espírita local ofereceu-lhe suas dependências para que Arigó continuasse trabalhando. Pouco depois, ele falou a um kardecista sobre incorporação espírita e possessão benigna. Fora informado de que estava sendo preparado para aceitar sua nova missão de curador mediúnico e, se aceitasse esse dom, sua fé se desenvolveria e ele ficaria em melhor posição para ajudar o próximo. Arigó aceitou a missão, mas não se esquecia das tensões com a Igreja, com a Associação Médica Brasileira e até com sua família. A Igreja, depois de exercer muita pressão, apresentou-lhe um ultimato: ou suas curas ou a Igreja. O trabalho de Arigó invadira o território das instituições médicas, jurídicas e religiosas brasileiras, abalando-lhes principalmente o orgulho.

No mundo inteiro, médiuns de cura ("curandeiros") são perseguidos por prática "ilegal" da medicina a despeito dos inúmeros fatos miraculosos e do volume de testemunhos acumulados ao longo de seus anos de serviço dedicado — o que, no caso de Arigó, se traduziu, segundo Fuller (1974), em pelo menos um milhão de operações bem-sucedidas num período de vinte anos.

Outro caso que consagrou Arigó como um fenômeno da cura espiritual foi o de Altimiro José Nilo de Oliveira. Esse homem relutava em procurar o médium e só se decidiu depois de descobrir que inúmeros clérigos haviam feito isso. Em seu livro (1974), Fuller descreve a cirurgia de Altimiro como uma "alfinetada" que durou apenas alguns segundos; logo depois, o paciente foi mandado para casa. Na manhã seguinte, Altimiro declarou estar enxergando perfeitamente, sem necessidade de óculos. Aturdido com os resultados, ofereceu-se para ajudar Arigó como voluntário. A oferta foi prontamente aceita e Altimiro logo se tornou um auxiliar importante no centro.

Era desse tipo de testemunho que Arigó precisava para validar sua capacidade de cura espiritual e provocar o interesse por uma pesquisa científica em grande escala. Inúmeras histórias vieram a público, em número grande demais para serem incluídas neste livro. Um fato notável, contado por Fuller (1974), ocorreu com um dentista de Belo Horizonte, Carlos Paranhos da Costa Cruz, cuja cunhada, Sonja, fora curada de um câncer de fígado pelo dr. Fritz. Ela recebera o diagnóstico de vários médicos, inclusive de seu pai, e numa última tentativa procurara Arigó, a fim de se curar. Na clínica, sem ter dito nada ao médium, este lhe comunicou que ela tinha câncer de fígado e seria imediatamente operada. Arigó deitou-a no chão e fez um breve corte com um canivete acima do fígado. O pai, que esperava uma forte hemorragia, viu apenas um filete de sangue brotar da incisão. Em seguida, o médium inseriu uma tesoura na abertura e soltou-a. O que o pai e o sr. Cruz viram então foi a tesoura mover-se como que por si própria: evidentemente, o espírito do dr. Fritz completava a cirurgia. Esta terminou quando Arigó retirou o tecido canceroso, colocou um crucifixo sobre a ferida e jogou o tumor para o sr. Cruz. Segundo este, foi realizada a biópsia dos tecidos, que eram realmente malignos. Nem a paciente, nem seu pai nem o sr. Cruz faziam a mínima ideia do que acontecera; mas, por razões óbvias, permaneceram gratos para sempre (Fuller, 1974).

> *No mundo inteiro, médiuns de cura ("curandeiros") são perseguidos por prática "ilegal" da medicina a despeito dos inúmeros fatos miraculosos e do volume de testemunhos acumulados ao longo de seus anos de serviço dedicado.*

Apesar dos apelos de milhares de pacientes, Arigó foi condenado à prisão pela primeira vez em 1958, mas teve a sorte de contar com um poderoso aliado político na pessoa do presidente brasileiro, Juscelino Kubitschek, também mineiro. Arigó identificara e tratara um problema de rim em uma de suas filhas e curara miraculosamente seu piloto e o chefe de sua segurança pessoal (Fuller, 1974).

Em 1964, porém, esse precioso aliado não estava mais no poder e Arigó não conseguiu escapar das acusações lançadas contra ele, acabando por cumprir sete meses de uma pena de dezesseis na prisão. Nesta, fato curioso, continuou seu trabalho, tratando dos detentos. Libertado e convencido de que tinha uma tarefa a desempenhar, retomou as atividades de cirurgia psíquica até sua morte trágica em 1971.

Arigó ficou mais conhecido pelas incisões precisas que fazia, muitas vezes com facas de cozinha, tesouras e lâminas cegas, deixando pouca ou nenhuma cicatriz na pele do paciente. Não aplicava anestésicos e operava quase sempre em condições sem assepsia nenhuma. Não se sabe de ninguém que tenha morrido ou contraído uma infecção e poucos pacientes se queixaram de dor. O espírito do dr. Fritz explicou assim esse fato raro e sobrenatural (através do médium, Arigó): "Nós desconectamos os campos organizadores biomagnéticos que ligam o 'perispírito' à matéria, tornando os tecidos uma massa amorfa. Removemos então a matéria estranha, que não está ligada à estrutura do organismo, e reconectamos os campos" (Krippner e Villoldo, 1976, p. 125). É assim que os tecidos mórbidos são retirados, restaurados ou reintegrados aos tecidos sadios.

Em *Arigó: Vida, Mediunidade e Martírio* (1998), Herculano Pires esclarece que os esforços da Associação Médica Brasileira, da Igreja e do sistema jurídico para desmerecer Arigó não conseguiram deslustrar seu nome ou anular a influência e o impacto que ele exerceu sobre o povo brasileiro e o resto do mundo. Esse autor prolífico fez um trabalho notável defendendo e elevando a mediunidade ao nível de um constructo sociocultural importante, de uma magnífica conquista no contexto da evolução humana. Para ele, a fim de entender a mediunidade, é necessário encará-la como um estado de ser isento de egoísmo, que abre espaço para o médium trabalhar sem medo, apreensão ou ideias preconceituosas. A mediunidade, nas palavras de Pires, está acima de qualquer outra conquista humana, pois permite ao homem evoluir eternamente (ao longo das reencarnações) e apresenta, sobretudo nas etapas posteriores de seu desenvolvimento, um aspecto informativo e instrutivo que pressupõe ação segundo uma capacidade humana específica, a qual se desenvolve graças à mediunidade terapêutica e clarividência de intuitivos, incorporadores etc. (Pires, 1998).

Pires é cuidadoso ao examinar o impacto de Arigó como algo que foi se transformando num martírio de Arigó. Eis uma das missões mais árduas

Arigó ficou mais conhecido pelas incisões precisas que fazia, muitas vezes com facas de cozinha, tesouras e lâminas cegas, deixando pouca ou nenhuma cicatriz na pele do paciente.

para qualquer ser humano: provar a natureza espiritual do homem quando a ciência e a filosofia tentam criar um ambiente hostil a essa ideia. A religião não poupou esforços para eliminá-la de seu dogma, ensinamentos e mistérios. Pires faz uma observação válida com referência ao antigo paradigma científico. A mediunidade era totalmente desacreditada ou vista como uma aberração; no pensamento religioso, os médiuns surgiam como seres humanos sobrenaturais sujeitos à possessão e, à luz do espiritismo, como místicos genuínos. No Brasil, a postura espírita é que provocou um desfecho favorável para as atividades dos médiuns de cura, como a única perspectiva mística autorizada a trabalhar de mãos dadas com a ciência e, assim, capaz de abrir caminho para uma nova mentalidade e uma nova ordem mundial.

Seria interessante acompanhar o desenvolvimento da mediunidade em seu curso e evolução naturais, ultrapassando nosso valor humano conhecido e gerando ansiedade, medo ou descrença naqueles que dificilmente renunciam a ideias preconcebidas e datadas. Arigó não prescrevia a seus pacientes remédios hipotéticos nem lhes assegurava cura física duradoura; o que fazia era dar-lhes a oportunidade de reconsiderar sua própria responsabilidade no surgimento da doença, transformando sua inconsciência numa consciência nova e suas inconsistências anteriores em verdades reconciliadas que lhes garantiam o poder de instaurar uma nova ordem, uma nova razão, uma nova lógica, uma nova orientação positiva em suas vidas.

Concordo inteiramente com Pires. O que deve atrair mais a nossa atenção em Arigó (e em todos os outros médiuns de cura) não são seus erros, suas falhas ou o que se poderia chamar de seus fracassos em alguns tratamentos, mas sim seu conhecimento essencial, sua intuição e sua razão — seus êxitos em não apenas oferecer remédios eficientes e cientificamente testados, mas também em propiciar aos enfermos uma compreensão mais profunda da saúde e da doença, de sua responsabilidade em ambas, das consequências cósmicas que só eles terão de enfrentar. Talvez por isso, a despeito da pressão exercida pelos médicos, do sistema judiciário e da Igreja, nenhum dos mais de dois milhões de pacientes que Arigó tratou sequer cogitou processá-lo.

Entendamos bem que Arigó não era uma entidade divina, era apenas um homem falível como todos os outros. Não fazia milagres, só agia como médium dotado de impressionantes faculdades paranormais. Seu trabalho útil mostrou às autoridades médicas, religiosas e judiciárias que a lei e a ordem humanas estão muito longe da Lei e da Ordem da Consciência Superior. Os homens precisam ainda reconciliar suas verdades com o Espírito Universal da Verdade.

Depois da morte de Arigó em 1971, ao que tudo indica, o espírito do dr. Fritz continuou ligado à cultura brasileira, incorporando-se em Oscar Wilde e seu irmão Edivaldo, ambos da Bahia. Durante o pouco tempo que eles trabalharam com o espírito, atenderam a mais de quatrocentos mil pacientes num centro espírita da região. Antes de morrer, foram acusados de charlatanismo e prática ilegal da medicina. Os dois perderam a vida tragicamente, em acidentes de carro ocorridos em diferentes ocasiões. Depois dos irmãos Wilde veio Edson Cavalcante Queiroz, de Recife, o mais privilegiado de todos os incorporadores do dr. Fritz, pelo fato de ter diploma em medicina e conhecimento farmacêutico.

Capítulo 9

Edson Cavalcante Queiroz e dr. Fritz: o encontro de duas ciências

"A questão moral é tudo em nossa evolução."

— *Dr. Fritz*

Edson Cavalcante Queiroz foi um médico formado que exercia a profissão em sua clínica particular. Estudara engenharia, mas, durante um encontro com um médium brasileiro, foi aconselhado a mudar para o campo da ginecologia. Essa mensagem lhe veio diretamente do plano espiritual: seu futuro era a medicina e ele precisava mudar de carreira. Foi o que fez. Anos mais tarde, em Recife, obteve muito sucesso como médico. Em 1979, começou a trabalhar com o espírito do dr. Fritz, num novo centro que instalou a alguma distância de sua clínica, a Fundação Espírita Adolph Fritz, onde prosseguiu com as curas espirituais de seu predecessor, Arigó.

As cirurgias espirituais eram semelhantes às de Arigó. Todavia, formado na medicina convencional, usava bisturis e outros instrumentos biomédicos para fazer as intervenções. Tal qual Arigó, executava suas operações com grande eficiência, rapidez, o mínimo de sangue e de dor, sem anestesia nem assepsia. O dr. Queiroz chamava esse fenômeno de "fritzação", descrevendo-o como uma espécie de desativação dos micro-organismos patogênicos. E, conforme assegurou, as características inatas e rápidas do processo de cicatrização é que autenticavam esse procedimento único, mas eficiente e sem assepsia.

Quem conheceu o dr. Queiroz descreve-o como uma pessoa acolhedora, aberta, simpática e otimista. Eu infelizmente nunca tive a oportunidade de encontrá-lo e precisei me valer de informações secundárias daqueles que tiveram essa sorte, entre eles Sidney Greenfield, que teve a coragem de contestar as alegações do cético James Randi, conhecido como o "caçador de paranormais", de que todos os médiuns de cura brasileiros não passavam de "uma soberba fraude". Esforçando-se para extrair a verdade dessa matéria, ele buscou respostas definitivas às acusações de Randi e por isso teve que examinar e repensar todas as suas experiências. Aquilo seria mágica, uma fraude, um truque? Teria ele sido enganado? Eu mesma estive sujeita a esse mesmo tipo de questionamento e cheguei às mesmas conclusões. Como poderia todo esse sistema de cura (que sobrevivia havia mais de sessenta anos a despeito da inexplicável falta de procedimentos de assepsia e anestesia) ser uma fraude, quando sobravam casos comprovados clínica e cientificamente? Greenfield e eu concordamos: o que acontece no Brasil não é mágica, embuste, truque ou engano.

Conforme citado em Greenfield (2008), James Randi, em uma de suas obras, falou das "imposturas médicas" e chamou as cirurgias psíquicas brasileiras (principalmente as de Zé Arigó) de tapeações habilidosas, comparando os cirurgiões psíquicos brasileiros aos das Filipinas, que "na verdade não cortam, apenas fingem cortar, escondendo frascos de sangue e tecido animal nas roupas para depois mostrá-los como se tivessem saído do paciente" (Randi, 1982, p. 44). Greenfield, seguindo o conselho de seu instrutor, conseguiu que centenas de mágicos examinassem, durante uma de suas convenções em Chicago, uma série de videotapes dos curadores brasileiros. A conclusão foi a de que todos os curadores brasileiros de fato cortavam e perfuravam os pacientes. O sangue que aparecia nas imagens era sangue de verdade, de feridas reais. Não havia, pois, nenhum ilusionismo, nenhuma encenação, nenhuma prestidigitação naquela prática, conforme pretendia Randi. Não conseguindo explicar nem entender certos fenômenos misteriosos, além dos limitados parâmetros conhecidos, a comunidade científica empírica não legitimou essa matéria.

Durante a pesquisa feita com Edson Queiroz, na qual se examinou seus casos mais notáveis, que lhe valeram a alcunha de "O Melhor do Recife", fiquei encantada com uma das curtas prédicas que ele de vez em quando fazia a seu público. Com voz firme, ele lembrava aos profissionais médicos presentes que ainda precisavam aprender muita coisa. "[...] os representantes do sistema médico são teimosos. Poderiam saber mais em benefício de seus pacientes se estudassem o que faço, em vez de me processar" (Greenfield, 2008, p. 42). Isso se aplica tanto a médicos quanto a outros profissionais. Muito tempo e energia são gastos às vezes nas coisas que menos importam; para o plano espiritual, é mero desperdício de tempo, energia humana e recursos. Repetimos: implementar uma abordagem mais crítica ao assunto seria bem mais produtivo e barato.

Tomemos como exemplo o caso de um paciente que precisa se livrar de um tumor no olho. Segundo um oftalmologista presente na palestra, são necessários cerca de trinta minutos para a remoção. Mas o dr. Fritz conseguiu extirpar um tumor do olho de uma mulher em apenas 25 segundos, como confirmaram alguns dos presentes que cronometraram a operação (Greenfield, 2008). Sem anestesia, com pouco sangue, sem dor, sem assepsia, sem infecção! Segundo o dr. Fritz, no dia em que a humanidade for uma só e fizer tudo com amor, ela se tornará mais eficiente.

"[...] os representantes do sistema médico são teimosos. Poderiam saber mais em benefício de seus pacientes se estudassem o que faço, em vez de me processar."

Talvez um dos apelos mais impressionantes do dr. Fritz seja seu pedido para que os enfermos "pensem em Deus" imediatamente antes da intervenção cirúrgica. Elevando seus pensamentos a Deus, eles, ao que parece, conseguem se colocar em um estado alterado de consciência e penetrar em um espaço e tempo fora dos parâmetros de sua percepção normal, em que recebem com mais facilidade as vibrações energéticas e a cura de que precisam.

Como sucedeu a Arigó, Queiroz contava com o apoio popular de seus pacientes, mas não com a aprovação da federação espírita local e da instituição médica. Seus colegas de profissão o censuravam, pois ele foi o primeiro médium formado em medicina que praticou a cura mediúnica no Brasil. A federação espírita não via com bons olhos suas cirurgias psíquicas, principalmente porque elas não faziam parte da doutrina de cura do espiritismo, que privilegiava a harmonização de energias e os passes magnéticos. As cirurgias espirituais pareciam coisa de curandeiros e, no Brasil como em outras partes da América Latina, o conceito de curandeirismo era considerado primitivo, e a comunidade espírita não queria ser relacionada com um fenômeno tão ultrapassado. Por isso Queiroz achou necessário abrir seu próprio centro, a que deu o nome de seu mentor espiritual, Dr. Fritz. Felizmente, ele sempre se dispôs a partilhar com os colegas seu conhecimento e compreensão do mundo espiritual.

Existiu uma sincronia entre as intenções de Queiroz e as do dr. Adolfo Bezerra de Menezes: ambos queriam popularizar e humanizar a medicina. Sem dúvida, Queiroz enfrentou um grande desafio ao tentar fazer com que seus colegas refletissem melhor sobre o espírito de verdade tal qual revelado pelo dr. Fritz, principalmente a fim de repensar valores sociais tradicionais e condicionamento cultural que, em muitos casos, se tornaram verdades disfarçadas e aceitas, gerando conflitos na vida das pessoas. Esta era uma parte essencial de sua missão: criar mudança para a humanidade, uma mudança que sobrevém quando se altera a percepção e se substitui um conjunto de verdades antigas por um conjunto de verdades e orientações novas.

Como, então, Queiroz conciliou o médico e o médium numa só pessoa? Em seu livro, Greenfield fala de um médico do Rio de Janeiro que procurou Queiroz para tratar de um tumor no pescoço. Esse tumor fora negligenciado e infeccionara. Queiroz realizou a cirurgia espiritual, removeu o tumor e disse às pessoas que observavam: "'Dessa vez, deixei que escorresse um pouco mais de sangue para vocês verem que ele vem do paciente e não é nenhum truque'[...] A hemorragia logo cessou e Edson, de novo, cortou a área infeccionada, parando apenas para conter novos sangramentos" (Greenfield, 2008, p. 46). Queiroz respondia às perguntas dos presentes enquanto o paciente jazia tranquilo na mesa de operações. Mais alguns minutos e retirava o resto dos tecidos, entregando-os ao seu patologista assistente para análise laboratorial. O paciente recebeu instruções para remover as bandagens poucos dias depois. Quando ele saiu, Greenfield perguntou-lhe sobre a experiência cirúrgica pela qual acabava de passar. O paciente respondeu que se sentia bem e aliviado.

O que achei mais intrigante, porém, foi a resposta daquele médico à pergunta seguinte de Greenfield: "'Você é médico também. Quando o tumor apareceu, por que não procurou um cirurgião no Rio? Por que veio procurar justamente Edson?' Ele se empertigou e, olhando-me de frente, explicou: 'Queria chegar à raiz do problema. Os médicos convencionais tratam apenas os sintomas e trabalham apenas na superfície. Se você quiser descobrir a causa, vá a um médium espírita de cura. Edson é o melhor. Assim, tive de esperar até poder vir a Recife em busca de seus serviços'" (Greenfield, 2008, p. 46). Greenfield visitou esse médico no ano seguinte, em sua cobertura em Copacabana, encontrando-o com ótima saúde e sem nenhuma cicatriz visível.

Queiroz, obviamente, tinha uma compreensão única do conhecimento científico e do conhecimento espiritual, usando um para aprimorar o outro. Em *Do Spirits Cause Illness?*, Matthew C. Bronson (1987) declara que Queiroz sabia muita coisa sobre a dimensão espiritual da doença. E acrescenta: "Embora eu de fato não tenha considerado a possibilidade de ser médium antes de minha experiência no Brasil, vejo que esse trabalho é fácil, natural e na verdade gratificante. Edson nos explicou que, quando um espírito obsessor vai embora, leva consigo um pouco de nossa própria energia inferior. Estamos fazendo uma grande obra de caridade em prol de nossos irmãos desencarnados, disse ele, e apressando em muito nosso próprio progresso espiritual" (Bronson, 1987). Esse tipo de ajuda ao próximo deixa claro que o benefício é recíproco: quem ganha não é apenas o que recebe a ajuda, as recompensas são ainda maiores para quem a dá, principalmente em termos de aumento do nível de compreensão espiritual e evolução. Queiroz trabalhou até 1991, quando sucumbiu nas mãos de um assassino.

Capítulo 10

Farias e dr. Fritz: mude seu ritmo ou o universo o mudará para você

"Para obter o alívio da dor e da incerteza, precisamos devotar nossa alma a Ele e trabalhar arduamente."

— Dr. Fritz

Em busca do médium que no momento incorporava o dr. Fritz, desembarquei no Rio de Janeiro (outono de 2009) a fim de visitar a clínica em Bonsucesso, no bairro da Penha. Foi uma longa e bela viagem de ônibus por aqueles recantos cariocas. O local estava fechado, o médium Rubens Faria não atendia mais a pacientes e ninguém sabia de seu paradeiro. Evidentemente, as instituições médica e judiciária haviam interditado a clínica devido à morte de um paciente terminal que estava se submetendo também a tratamento convencional quando Rubens cuidara dele. Considerando-se os testemunhos médicos de curas definitivas em inúmeros pacientes, obtidas pelo médium e o dr. Fritz, essa acusação por uma única morte parecia injusta. O fato, porém, não me impediu de continuar investigando as curas paranormais do dr. Fritz, sobretudo depois que li o brilhante livro de Masao Maki, *In Search of Brazil's Quantum Surgeon: The Dr. Fritz Phenomenon* (1997). Embora constasse que o médium ainda morava no Brasil, não consegui localizá-lo nem entrevistá-lo, precisando então limitar a minha pesquisa à análise objetiva da literatura disponível.

A melhor coisa que resultou dessa busca infrutífera por Rubens Farias talvez tenha sido a descoberta casual do livro de Gilda Moura, *Transformadores de Consciência* (1996), numa livraria do Rio de Janeiro. Eu estava procurando livros sobre Farias ou o dr. Fritz, quando fui informada de que nessa livraria não trabalhavam com material espírita ou de cura mediúnica. Ainda assim dei uma olhada nas prateleiras e já ia saindo quando notei um livro que parecia me encarar! Tinha na capa a imagem de uma nave espacial. O título e o nome da autora, em letras cor-de-rosa neon, chamou-me a atenção. Ele fora escrito pela dra. Gilda Moura, mencionada em um livro de Masao Maki sobre o dr. Fritz que eu lera havia pouco tempo. A dra. Gilda era a psicóloga clínica que havia estudado e mensurado as ondas cerebrais de Farias, durante a incorporação do dr. Fritz. Ela descobriu que todos os dezenove pontos ultrapassavam os 40 Hz (pessoas normais só chegam a 30 Hz) e explicou: "Esse é o estado em que ficamos mais atentos, concentrados e objetivos, portanto mais capacitados para tomar decisões e resolver problemas" (Maki, 1997, p. 147). Embora esse fenômeno seja raro, existem dois outros grupos que também apresentam níveis similares de consciência: os yogues indianos, no estado *samadhi* de consciência, e os abduzidos, que tiveram contatos alienígenas num nível de frequência diferente.

Introduzindo uma forma de cura que parece agir no âmago da matéria, desligando e religando determinados componentes bioeletromagnéticos, tocando a alma do paciente e insuflando nele uma nova percepção do modo como a vida deve ser vivida, essa equipe única formada por um espírito e um homem (dr. Fritz e Farias) continuou transformando radicalmente a consciência dos brasileiros. Percepções antigas e limitadoras receberam o influxo da vida de uma consciência nova, que os ajudou a se unir em suas crenças e a progredir em harmonia. Cultivando graus variados de fé ou de informação espiritual, seria impossível para a humanidade juntar todas essas peças soltas e interpretá-las como uma verdade única aplicável a todos os povos.

As diferenças irreconciliáveis é que criam barreiras e divisões, gerando uma hostilidade e animosidade que impedem as pessoas de encontrar a paz e a evolução espiritual. "O dr. Fritz quer que você descubra novas orientações em sua vida e o motivo por que vive" (Maki, 1997, p. 65). Ironicamente, a intenção original de Maki ao visitar a clínica em Bonsucesso era desmascarar o curador brasileiro; mas, ao testemunhar sua rapidez sobre-humana e suas curas espirituais indiscutíveis, mudou inteiramente de opinião (um ato de humildade) e reconheceu estar em presença de um poder superior, que obviamente percebeu no local. Tratando do perispírito, Farias e o dr. Fritz retificavam, revitalizavam e regeneravam tecidos, ossos e órgãos, aliviando também a dor.

...essa equipe única formada por um espírito e um homem (dr. Fritz e Farias) continuou transformando radicalmente a consciência dos brasileiros.

Visando a um conhecimento apropriado, que esclarecesse melhor sua abordagem cirúrgica e um sistema mais completo de medicina, o dr. Fritz mencionou a familiaridade de Rudolf Steiner com a medicina antroposófica, que ensina profissionais de saúde a usar e manipular os campos energéticos dos pacientes e deles próprios a fim de ativar a cura. Maki cita em seu livro o caso de um médico não identificado que, após praticar medicina durante dez anos, declarou estar aprendendo a manipular a polaridade da membrana do córtex cerebral graças à energia extraída do universo. A isso atribuía a ausência de dor mesmo sem anestesia. Maki acrescenta que os médicos já estudam um modo de elevar sua energia a um nível mais alto.

O médium Farias explica, "o corpo, é a união eletromagnética de partículas em constante ressonância. Assim, quando injeto esta mistura de tintura de iodo e álcool, os dois componentes assumem uma configuração diferente no corpo de cada pessoa, formando diferentes substâncias. Manipulo os campos magnéticos, usando-os tanto para estancar a hemorragia e a dor quanto para aumentar ou diminuir o crescimento das células" (Maki, 1997, p. 89). A manipulação da energia bioeletromagnética será algum dia explicada pelas leis complexas da física quântica. Por enquanto, é o método cirúrgico de escolha do lendário dr. Fritz.

Um traço notável dessa parceria humana/sobrenatural é o uso que o dr. Fritz fazia de um preparado conhecido como "injeção milagrosa". Composto de álcool, tintura de iodo e terebintina, era injetado na maioria dos pacientes. Eis como o dr. Fritz explicou a Maki o funcionamento dessa fórmula exclusiva: "Quando a mistura penetra no corpo humano, procura entre os sessenta trilhões de células que o compõem as moléculas das células doentes e as reduz às suas partículas elementares. Então ele [o paciente] pode reconstituí-las em moléculas saudáveis e formar células igualmente saudáveis. E a cura acontece" (Maki, 1997, p. 47). Indagado sobre o motivo pelo qual os pacientes não sentem dor quando são operados sem anestesia, Farias respondeu: "O dr. Fritz pode manipular as ondas cerebrais e dirigir as ondas eletromagnéticas dentro do corpo do paciente" (Maki, 1997, p. 48), algo que a biomedicina ainda não faz. Farias não usava anestésicos químicos, mas um similar espiritual ou astral que produz o mesmo efeito inconsciente. Juntando sua energia espiritual ao corpo energético do paciente, os dois entravam em uma frequência parecida, chamada *theta*. Isso foi comprovado para além de qualquer dúvida graças a um mapa das ondas cerebrais do médium em transe. Em seguida, os aspectos energético e esotérico da fé do paciente, associados à energia espiritual do médium e da entidade espiritual, estimulam a liberação de mais endorfinas e dopaminas, que aceleram o processo de cura.

> *A manipulação da energia bioeletromagnética será algum dia explicada pelas leis complexas da física quântica. Por enquanto, é o método cirúrgico de escolha do lendário dr. Fritz.*

Farias e dr. Fritz: um acordo

Farias desenvolveu seu dom divino desde a infância. Sua mãe e sua irmã, em entrevista dada a Masao Maki, garantiram que Rubens podia ver e falar com espíritos desde os primeiros anos. Mas foi só em 1983, depois de comparecer a uma sessão espírita com a esposa, que fez sua primeira cirurgia mediúnica inconsciente com a ajuda, conforme acreditava, do dr. Fritz. "Ele tinha certeza de que fora escolhido pelo espírito do dr. Fritz" (Maki, 1997, p. 64). Começou a estudar o espiritismo, a umbanda e a psicologia transcendental para entender melhor o que acontecera. Queria respostas, mas, entre tantas informações, não encontrava as que estava buscando. Um dia, porém, tudo se esclareceu para ele. Foi quando sua filha adotiva de dez dias adoeceu gravemente. Um de seus pulmões se atrofiara e ela não tinha força para mamar. "Eu me levantava de hora em hora para lhe dar uma colher de leite. Certa vez, acordei de madrugada. Deixara de alimentá-la da última vez e apressei-me a lhe dar um pouco de leite. Chorei. Pedi então ao dr. Fritz que, pelo amor de Deus, ajudasse minha garotinha. Ela podia morrer e eu precisava dela viva. Estava ao lado de seu berço e vi então, em meio a uma luz brilhante, a imagem do dr. Fritz. Ele olhou para mim e disse que a salvaria para me provar que Deus existe e que eu deveria trabalhar em favor da humanidade. Respondi que faria qualquer coisa se ela sobrevivesse, apesar dos sérios problemas que apresentava nos pulmões e no estômago" (Maki, 1997, pp. 64-65). A fim de cumprir a palavra, abandonou tudo, a carreira de engenheiro e os negócios, para se tornar curador, conforme o dr. Fritz sugerira.

Uma alma profundamente influenciada pelo espírito do dr. Fritz

Um dos pacientes do dr. Fritz (e de Rubens Farias), William Moreira, é sem dúvida um de seus casos mais impressionantes. Moreira falou de seu encontro com o dr. Fritz e captou o retrato não tão enigmático assim dessa entidade espiritual em seu livro *Dr. Fritz: The Phenomenon of the Millenium: The Author's True Story between the Spiritual and Material Worlds* (2002). Ele conseguiu partilhar uma visão incrível com um público que ficou intensamente comovido com seu livro, baseado quase todo em mensagens espirituais profundas que ainda soam verdadeiras hoje. O livro trata menos do médium, Rubens Farias, do que do espírito do dr. Fritz; e isso é correto porque nosso mundo atual está precisando desesperadamente de mais conhecimento das coisas espirituais. Moreira pensa como eu: a espiritualidade brasileira, por seu caráter único, tem de ser vivenciada para ser concebida. E tem de ser vivenciada em seu próprio ambiente natural, com todas as qualidades instintivas que deleitam os sentidos e o misticismo típico desse país.

Em 1995, quando morava em Nova York, Moreira decidiu visitar Farias e o dr. Fritz na Penha, Rio de Janeiro. Tinha 62 anos e já esgotara todos os recursos da ciência médica. Moreira fora abençoado com uma vida longa, próspera, bem-sucedida e ativa, além da família e da carreira; nunca sentira necessidade de Deus nem achava que tinha tempo para Ele. Mas agora, com a saúde abalada, parecia que o universo lhe exigia uma intimidade maior com Deus e lhe dava uma grande lição espiritual.

No verão de 1995, fez uma operação do ombro direito em Nova York, mas precisava de outras no ombro esquerdo e no joelho direito. Ainda não se recuperara completamente nem recobrara por completo a mobilidade, pois as dores faziam com que seus movimentos fossem muito restritos. Já estava se conformando com esse "colapso do esqueleto", como ele mesmo diz, com todo o sofrimento daí decorrente. Tomava analgésicos e poderia fazer outras operações, mas estas não garantiam que um dia fosse se movimentar normalmente. Não estava convencido de que essa fosse uma opção viável. Um amigo aconselhou-o a procurar o dr. Fritz no Rio de Janeiro. Moreira soubera do dr. Fritz por intermédio de sua mãe, que fizera tratamento com Arigó ainda na década de 1950, mas admitia que não levava muito a sério aquela história. Adolescente na época, mal se lembrava de quem era o dr. Fritz ou o que ele fazia.

Em sua primeira visita ao dr. Fritz, Moreira foi imediatamente informado de que precisava começar pela tireoide! E só ele sabia que, dezenove anos antes, quase morrera de complicações dessa glândula. O dr. Fritz prontamente aplicou-lhe a injeção milagrosa no pescoço, o famoso composto de álcool, tintura de iodo e terebintina que dava a muitos de seus pacientes. Esse composto, de natureza químico/astral só podia ser ministrado pelo próprio dr. Fritz, pois só ele sabia quais eram as necessidades do paciente (a dose era específica para cada indivíduo). Se outra pessoa se arriscasse a aplicar a injeção, o paciente provavelmente morreria envenenado.

O dr. Fritz garantiu a Moreira que ele ficaria bom, mas deveria voltar nos três sábados seguintes. Moreira decidiu permanecer no Rio mais trinta dias e compareceu conforme fora aconselhado. Nessas três visitas, submeteu-se a mais injeções, cortes, excisões e terapia intensiva da alma. Na quarta sessão, o dr. Fritz ocupou-se unicamente de seu joelho: "Enfiou uma pinça em meu joelho e tirou de lá um fragmento de osso, dizendo que aquele era o meu problema" (Moreira, 2002, p. XVIII). Tudo não levou mais que três minutos. Moreira não relatou dor nem sangramento; e, para sua surpresa, saiu andando normalmente, sem sentir nada! Pensou então: "Eis aí uma lição de modéstia e humildade num barracão de cimento onde dinheiro e posição não significam coisa alguma" (Moreira, 2002, p. 13).

Moreira disse ao dr. Fritz que todas as pessoas neste mundo de sofrimentos deveriam conhecê-lo, "pois nossos tratamentos médicos são ainda muito primitivos para aliviar dores físicas e morais. Ambos concordávamos em que essa seria sua mensagem a todos os habitantes do planeta e que eu poderia fazer minha parte para ajudar!" (Moreira, 2002, p. XVIII). Só existe uma causa do sofrimento humano que unirá ricos e pobres de todas as partes do globo: a força da dor! Esta tem um efeito incrível na vida das pessoas de todos os níveis, tem a capacidade de transformá-las mais cedo ou mais tarde — "Se for tarde, será uma cruz mais pesada para carregar" (Moreira, 2002, pp. 28-29). É a dor que suaviza a alma, tornando-a mais atenta aos semelhantes. A dor tem até mesmo um jeito próprio de dissolver nossa ignorância e estigmas sociais. Moreira, paciente rico, se sentiu humilde naquela clínica improvisada: "Notei que os ricos tentavam se esconder de minha câmera e evitavam falar comigo porque era 'humilhante' ir a um lugar pobre daqueles para buscar alívio para seu sofrimento" (Moreira, 2002, p. 31). Haverá lugar melhor para alguém se livrar de estigmas sociais retrógrados e da ignorância, do que lado a lado com outros que sofrem da mesma maneira? A dor e o sofrimento têm o poder incrível e sem igual de abrir imediatamente nossos olhos para os valores espirituais universais. Ainda mais importante, essa experiência de humilhação tem o poder de curvar o ego, obrigando-o a ser mais flexível e tolerante para com os outros.

"Eis aí uma lição de modéstia e humildade num barracão de cimento onde dinheiro e posição não significam coisa alguma."

Quando percebermos que nossa própria cegueira e as paredes que construímos à nossa volta é que nos impedem de ver ou valorizar o Amor e as Leis da Consciência Superior em nossa vida, talvez aceitemos que nosso egoísmo autoperpetuado, indiferença, negligência, cobiça e materialismo criam essas divisões e essa cegueira. Essas paredes são o obstáculo para o nosso discernimento espiritual, evolução e ascensão. É o que se interpõe entre nossa alma e os rumos do universo.

Talvez, se entendêssemos que o núcleo do problema são as falhas de percepção, a incompreensão e os sistemas de crença incorretos, a sociedade começasse a avançar em sintonia com o rumo, o ritmo e a ordem do universo. As atuais falhas de percepção fizeram de nós "robôs mentais", obstruindo nossa visão correta das Leis e da Ordem da Consciência Superior. Isso só contribui para restringir e bloquear as ideias verdadeiras e concretas, impedindo-nos de perceber e experimentar plenamente cada realidade vivida.

As curas paranormais não podem ser contestadas porque há muitos casos (tantos que não é possível mencionar todos aqui) que foram científica e clinicamente comprovados. No entanto, o aspecto espiritual dessas curas ainda precisa ser totalmente compreendido e aceito. No Brasil, a fé é tão viva e real que acaba prevalecendo e ajudando a humanidade a ir além da compreensão atual. A fé também diz aos sofredores palavras que amparam, encorajam e animam, despertando neles, ao mesmo tempo, a compaixão. Este é o legado cósmico da humanidade, ajudar os semelhantes a evoluir espiritualmente para que quem ajuda evolua também.

Aos que não são brasileiros, Moreira dá uma informação importante: "No Brasil, quem não tem dinheiro sofre. A única ajuda é a fé em Deus, nosso Criador" (Moreira, 2002, p. 8). Com os olhos fitos na alma, o dr. Fritz examina a todos mesmo antes de comparecerem à sua presença. Investigando a alma, descobre a causa real da doença do paciente. Para William Moreira, o "colapso do esqueleto" que o levou ao dr. Fritz foi apenas o motivo externo e superficial de sua decisão; o que ele queria mesmo era compreender a razão por trás de sua visita, algo fora do alcance do olho humano.

As atuais falhas de percepção fizeram de nós "robôs mentais", obstruindo nossa visão correta das Leis e da Ordem da Consciência Superior.

Foi durante seu último encontro com o dr. Fritz, em novembro de 1995, que Moreira recebeu a advertência: teria de enfrentar uma prova difícil no começo de 1996. Soube que o fato abalaria toda a sua família. Mas era um teste que tinha sua justificativa. Voltou para New Jersey e retomou a rotina diária até o início de fevereiro de 1996. O momento temido veio mais cedo do que pensava, na manhã de 5 de fevereiro: sua bela filha Carol Jacqueline Moreira Soares, de apenas 33 anos, foi atropelada por um caminhão numa esquina movimentada de Nova York. Moreira se sentira estranhamente triste e acabrunhado no dia anterior — uma tristeza que só poderia ser combatida com a oração. Não podia enfrentá-la sozinho. Precisava da ajuda de Deus, do universo, dos anjos. Pediu a Ele, durante a noite, que fizesse sua felicidade durar. E suas preces foram atendidas. Na manhã seguinte, ao receber a má notícia, ajoelhou-se humildemente e agradeceu a Deus por levar seu "anjo" sem que ele sentisse a mínima dor. O médico legista lhe garantira isso. Só uma alma muito especial e digna não se perderia em meio à aflição e à sensação de vazio causadas por aquela perda. Aceitar tudo imediatamente e com resignação num momento tão doloroso só poderia ser conseguido com uma fé sobrenatural. Moreira jamais perdeu de vista seu Criador Misericordioso e o plano que Ele traçou para cada um de nós. Moreira teve exatamente oito meses para se preparar espiritualmente para o que aconteceria. Oito meses para fortalecer seu espírito e resistir ao choque que viria, mas passaria. Será eternamente grato ao Grande Espírito pela misericórdia de que foi alvo.

Hoje, acredita-se que Rubens Farias more nas imediações do Rio de Janeiro. Já não pratica mais curas espirituais. Quer tenha sido um karma pesado que ele precisou pagar, reequilibrando os pratos da balança da justiça kármica, ou outro motivo qualquer que o levou a se associar com o dr. Fritz, sem dúvida esse homem afetou a vida de muitos brasileiros com suas curas paranormais e sua compreensão do Espírito. Seu trabalho e ensinamentos eternos sobreviverão às idades por intermédio do espírito do dr. Fritz.

Capítulo 11

Aylla e dr. Fritz despertam nossos dons espirituais

"Nosso medo mais profundo não é sermos fracos. Nosso medo mais profundo é sermos fortes além da medida. O que nos assusta é nossa luz, não nossa treva. Perguntamo-nos: quem sou eu para ser brilhante, esplêndido, talentoso, fabuloso? Mas por que não? Você é filho de Deus. Fazer-se de insignificante não ajuda em nada o universo. Encolher-se para que ninguém à sua volta se sinta inseguro não é uma ideia luminosa. Todos nascemos para brilhar como as crianças. Nascemos para manifestar a glória de Deus que está dentro de nós. Ela não existe apenas em alguns; existe em todos. Quando permitimos que nossa luz brilhe, damos inconscientemente permissão aos outros para fazerem o mesmo. E quando ficamos libertos de nosso medo, nossa presença automaticamente liberta quem está perto de nós."

— *Marianne Williamson*

Antes de embarcar para o Brasil, eu não tinha nenhum plano estratégico para encontrar o dr. Fritz; afinal, o território brasileiro tem mais de 8,5 milhões de quilômetros quadrados. Pus-me então nas mãos da Divina Providência para que ela se encarregasse dos detalhes.

Ao chegar a São Paulo, uma amiga me indicou a "Morada da Luz", na pequena cidade de Caçapava, no interior do estado de São Paulo, dizendo que Aylla havia curado uma de suas amigas e a ela própria. Aylla atenderia aos pacientes no sábado seguinte, alguns dias depois. Resolvi comparecer sem avisar, para não interferir no processo normal de cura que ela realizaria.

Essa curadora foi a primeira médium do dr. Fritz que conheci no Brasil e a única mulher que, segundo consta, até agora o incorporou. Com a ajuda de seu marido Axel e de toda uma equipe de voluntários, além de um grande grupo de espíritos, ela presta serviços terapêuticos e assistência social/espiritual sem cobrar nada. Em Caçapava, Aylla e o dr. Fritz atendem de oitocentos a mil pacientes por sessão. Eles os procuram para receber a orientação de que seus corpos mental/emocional, espiritual e físico necessitam. Em Caçapava, são apenas duas sessões por mês, mas Aylla atende também em sua cidade, Guaratinguetá, localizada no interior do mesmo estado, todas as quartas-feiras; cerca de quinhentas pessoas num só dia. Adaptou sua casa para prestar assistência social, sob a forma de orientação espiritual que também a ajuda a equilibrar as emoções dos pacientes.

Aylla descobriu seus dons mediúnicos em tenra idade, mas levou anos para compreendê-los e finalmente aplicá-los em benefício do próximo. Sua forte ligação com a natureza e o mundo espiritual inspirou-a a aprender a língua dos elementos, com os quais logo passou a interagir. Ela tem um conhecimento profundo de parapsicologia e dos dons espirituais que recebeu. Trabalhava com o dr. Fritz desde 2003, mas incorporava outros espíritos desde 1996.

Chegando cedo ao centro de cura em Caçapava, e sem me anunciar encontrei aproximadamente 150 pessoas esperando na fila para ver Aylla, mas muitas já tinham partido ou ainda chegariam. Entrei nessa fila, que vinha se formando havia horas. Achei melhor não dizer nada sobre meus objetivos de pesquisa e, naquele momento, guardar para mim essa informação. Depois de aguardar minha vez para ver Aylla/dr. Fritz (as consultas não eram pessoais, mas em grupos de mais ou menos quarenta pacientes), fui enfim conduzida por um dos voluntários até a sala de cura, onde me sentei num dos bancos de madeira que ali havia. A iluminação da sala era mínima.

Logo depois, Aylla e sua equipe de cinco voluntários entraram. Paravam diante de cada paciente, todos previamente instruídos a permanecer sentados em meditação antes que ela se aproximasse. Quando Aylla se postou diante de mim (que meditava de olhos fechados), abriu os braços e aconchegou-me ao seu peito, como se aquele fosse um momento especial em sua jornada. Aylla me olhou bem nos olhos e beijou-me a fronte; eu imediatamente senti uma espécie de "choque" no alto da cabeça. Aylla pediu então a um dos assistentes, em português, que me levasse para um canto e me desse novas instruções. Eu deveria voltar duas semanas depois à "Morada da Luz" e tomar os remédios que me seriam oferecidos gratuitamente. Mais tarde, descobri que todos os pacientes os recebiam de graça.

Após a consulta, eu me apresentei a um voluntário e revelei minha identidade, solicitando uma nova entrevista com Aylla. O voluntário imediatamente me pôs em contato com o marido da médium, Axel, que supervisionava as atividades do centro. Fui instruída a comparecer a outro local, na quarta-feira, para a entrevista. Seria em sua casa, numa cidade a várias horas de viagem dali, que já era bem distante de São Paulo.

Quando cheguei à casa de Aylla, na quarta-feira por volta do meio-dia, havia uma longa fila de pacientes diante do portão. Parecia a sala de espera de um médico, cheia de gente aguardando sua vez. Fui até o portão. A primeira mulher da fila me perguntou se eu viera para ver Aylla; respondi que iria entrevistá-la. A mulher gentilmente me cedeu o seu lugar! Enquanto esperávamos, ela me contou a história de como se tratara com o dr. Fritz. Não conseguia andar devido a um problema na parte inferior da coluna e recuperara plenamente os movimentos. O que mais impressionava em seu testemunho era a imensa fé que depositava em Deus e no curador. Finalmente Axel veio abrir o portão e informou-me de que daria a entrevista enquanto Aylla se preparava energeticamente para atender os pacientes. Fiquei um pouco desapontada depois de tantas horas de viagem de ônibus até Guaratinguetá, pois imaginava que entrevistaria a própria médium. No entanto, a conversa que se seguiu valeu cada segundo e cada centavo gasto com a passagem.

Segundo o marido, Aylla trabalhava com o espírito do dr. Fritz desde que tinha 32 anos. Só impusera uma condição à entidade: não usaria nenhum tipo de instrumento cortante nos pacientes. O dr. Fritz concordou. Aylla não emprega instrumentos físicos em seus pacientes, e sim um bisturi espiritual tecnicamente avançado. Graças a esse acordo, ambos realizam cirurgias e transplantes espirituais, desmaterializam tecidos e órgãos doentes e, com a canalização de suas energias, rematerializam-nos sob a forma de órgãos e tecidos sãos.

Aylla é uma médium consciente, ao contrário de muitos médiuns de cura, que trabalham em estado de inconsciência. Mas qual é a principal diferença entre médiuns conscientes e inconscientes? No primeiro caso, o mentor espiritual, muito próximo, influencia o corpo astral do médium, ocorrendo então uma espécie de convergência motora, sensorial e psíquica. O médium consciente, por outro lado, recebe uma difusão ou projeção de luz intuitiva (irradiação) do mentor espiritual, não precisando do controle cognitivo exercido sobre os médiuns inconscientes; assim, esse não pode ser considerado um caso de incorporação completa, pois o médium de cura continua com pleno domínio de sua percepção sensorial.

Perguntei a Axel se o dr. Fritz gostaria que meus leitores soubessem de algo a respeito de sua vida física como Adolph Fritz. A resposta me pareceu sincera e despretensiosa: "O passado dele não é importante. Importante é que todos tenham fé e vivam sem medo". Perguntei então se o dr. Fritz teria alguma coisa a dizer aos médicos que porventura lessem meu livro. A resposta foi simples: "O dr. Fritz gostaria que entendêssemos seu tipo de trabalho. Estudando sua ética profissional, poderemos aprender muito com ele a fim de ajudar nossos pacientes. Bom seria se imitássemos suas atitudes, seus abraços, seus beijos, seu amor, sua *anima*; o modo como interage com os doentes e incorpora sua postura aos protocolos de tratamento. Você ficaria surpresa ao constatar como, às vezes, apenas isso pode curar um doente".

"O dr. Fritz gostaria que entendêssemos seu tipo de trabalho. Estudando sua ética profissional, poderemos aprender muito com ele a fim de ajudar nossos pacientes."

Eu quis saber então por que a sala de tratamento ficava na penumbra. Axel explicou que os pacientes reagem melhor à pouca luz, pois ela cria um ambiente propício à meditação e chama menos atenção para os objetos ao redor. Eu estava interessada também em saber o que Aylla e o dr. Fritz teriam a dizer sobre os motivos por que alguns pacientes se curam e outros, não. Ele respondeu: “Isso ocorre porque muitos não fazem sua parte”. De fato, o paciente tem influência direta em sua própria cura e, quando não assume esse papel, perde a conexão com o processo terapêutico.

Dons espirituais

Aylla e o dr. Fritz estão criando uma consciência maior, sobretudo ao ajudar as pessoas a aceitar seus dons espirituais (paranormais) como uma maneira de evoluir espiritualmente e trazer a compreensão espiritual para a linha de frente da humanidade.

Os dons espirituais que Aylla está divulgando são os mesmos que o Espírito Santo espalhou entre os homens desde antes dos tempos bíblicos. Eles são a graça da Consciência superior em ação. O apóstolo Paulo, na Epístola aos Coríntios, descreve-os assim: “Ora, há diversidade de dons, mas o Espírito é o mesmo. E há diversidade de ministérios, mas o Senhor é o mesmo. E há diversidade de operações, mas é o mesmo Deus que opera tudo em todos. A manifestação do Espírito é dada a cada um para o que for útil. Porque a um, pelo Espírito, é dada a palavra da sabedoria; e a outro, pelo mesmo Espírito, a palavra da ciência; e a outro, pelo mesmo Espírito, a fé; e a outro, pelo mesmo Espírito, os dons de curar; e a outro, a operação de maravilhas; e a outro, a profecia; e a outro, o dom de discernir os espíritos; e a outro, a variedade de línguas; e a outro, a interpretação das línguas. Mas um só e mesmo Espírito opera todas essas coisas, repartindo particularmente a cada um como quer” (I Cor., 12:4-11). Esses dons do Espírito Santo podem também ser considerados poderes paranormais inatos, claramente visíveis nas vidas consagradas dos santos.

Em seu livro de 2005, *Mediunidade dos Santos*, Clóvis Tavares identifica o fenômeno sobrenatural documentado na Bíblia e nas biografias dos santos com a mediunidade. Com isso, reconhece os talentos sobrenaturais desses santos, reconhecidos também pela Igreja em documentos oficiais aprovados com o selo eclesiástico definitivo do Vaticano. Ele fez uma obra inestimável ao associar a santidade de alguns homens com a consagração da mediunidade, e isso graças ao encorajamento e à bênção do Apóstolo Brasileiro do Amor, Chico Xavier.

A história do Cristianismo está cheia de exemplos de fenômenos paranormais mediúnicos, como: clarividência (capacidade de ter visões espirituais ou astrais, em santa Teresa de Ávila, são Francisco de Assis, santo Antônio de Pádua, santa Catarina de Siena, santa Teresa de Lisieux e muitos outros); xenoglossia (dom das línguas em são Francisco Xavier); psicografia (em são João Evangelista, santa Brígida, santa Inês e santa Lúcia); materialização de espíritos (a transfiguração de Cristo); aporte e controle sobre a matéria (Cristo transformando água em vinho; Moisés abrindo o mar Vermelho); levitação e distinção de espíritos (santo Inácio de Loyola e santa Teresa de Ávila); clariaudiência (audição de vozes provenientes de outros mundos ou dimensões em santa Joana d'Arc, são Francisco de Assis, santo Afonso Maria de Liguori); sabedoria interior, milagres e dom de cura, fenômenos de claricognição mais visíveis nas histórias bíblicas da vida de Cristo e também nas de santo Antônio de Pádua e são Pio de Pietrelcina; e dons espirituais oníricos (interpretação de sonhos em santa Catarina Labouré e são Dom Bosco). Todos os santos tinham pontos de natureza divina em comum, pois eram todos almas que cultivavam um amor ardente por Deus. Tinham o dom de ver, não com os olhos materiais, mas com os olhos da alma. São os verdadeiros heróis do espírito: desenvolveram seus dons por meio de sua santidade, a fim de deixar um legado divino e humano como um modelo para a humanidade.

Quando a sociedade se reestruturar e se reprogramar, e as pessoas se sentirem mais realizadas graças à união do conhecimento intelectual do Espírito Santo com a experiência mística pessoal, todos poderão ter a vivência direta dos dons espirituais que lhes foram concedidos, tornando-se testemunhas oculares dos milagres do Espírito Santo. Esses dons não são exclusivos de ninguém; na verdade, incluem a todos, pois cada tradição religiosa ou esotérica mundial teve sua quota de guias espirituais, mentores, gurus, mestres ascensionados e santos.

Quando a sociedade se reestruturar e se reprogramar, e as pessoas se sentirem mais realizadas graças à união do conhecimento intelectual do Espírito Santo com a experiência mística pessoal, todos poderão ter a vivência direta dos dons espirituais.

Ajudando seus pacientes a se conectar com o Criador e o propósito divino, Aylla desenvolve neles uma consciência maior. Familiarizá-los com sua evolução espiritual significa fazê-los compreender profundamente o que jaz entre a sabedoria do céu e a ciência da Terra. Assim, eles podem se desenvolver e ser orientados por sua bússola interior, renunciando à resistência que criaram em seu íntimo e em suas perspectivas, e detectando as armadilhas e véus que vinham gerando suas ilusões terrenas. Afinal, é nossa jornada terrena que irá determinar se o espírito evoluiu ou se ele ainda tem que passar por outras novas oportunidades, numa nova encarnação.

Eis os elementos principais para a ascensão espiritual que Aylla Harard revela em seus escritos: 1) a vida doméstica; 2) o trabalho e a carreira; 3) o registro que cada um traz consigo de encarnações anteriores e são o seu aprendizado até agora; esse registro precisa de introspecção e reconciliação durante a jornada terrena. Os três elementos montam o palco para que os protagonistas sigam escrupulosamente os roteiros que irão ajudá-los em sua trajetória evolucionária. Convém lembrar apenas que as escolas são muitas e, em cada uma, diferentes lições são ensinadas e aprendidas. Um exemplo de alma que evoluiu por meio das muitas e diferentes escolas terrenas é o dr. Fritz.

Adolph Fritz

Em sua encarnação como Adolph Fritz, nasceu de pais alemães e recebeu uma educação muito rígida. Foi condicionado a ser frio, sem afeição nem entusiasmo. O pai, homem austero, nunca se mostrava carinhoso. A mãe, passiva e doce, além de dominada pelo marido, ainda era reprimida pela sociedade. O dr. Fritz estudou medicina para entender bem o funcionamento do corpo. Fez inúmeras pesquisas, mas sua frieza só se abrandou quando foi mandado à África para estudar uma epidemia crônica. Chegara com medo do contágio, mas depois de ver o sofrimento das pessoas, seu coração se abriu e passou a bater num ritmo diferente. Enfim, ele entrava na escola que desafiaria sua indiferença e seria um momento decisivo em sua vida. Cada escola que até então frequentara lhe dera o impulso para entrar na próxima fase de sua jornada evolucionária.

Aylla e o dr. Fritz vinham oferecendo orientação espiritual e curas a muitos brasileiros nos oito anos anteriores. Mas, segundo o marido, ela ainda não fora objeto de pesquisa acadêmica e a mídia local nunca a entrevistara. Esta primeira descrição dessa curadora paranormal talvez contribua para ampliar a compreensão limitada do conhecimento ortodoxo e da medicina alopática.

A pessoa que deseja desenvolver a mediunidade nunca tem uma tarefa fácil pela frente, pois precisa superar muitos medos, inclusive o de ser médium. E só se ela tiver uma fé sobrenatural nos poderes do mundo invisível é que conseguirá se livrar por fim desses medos. Encontrar força, coragem e proteção nas Esferas Superiores ajudará a humanidade a caminhar no rumo certo e a maximizar na hora certa seus dons sobrenaturais.

Capítulo 12

Francisco (Chico) Monteiro e dr. Fritz: um movimento transcientífico

"Precisamos nos unir em nossas crenças."

— Dr. Fritz

O Centro Paracientífico parecia, visto de fora, um simples barracão com claros sinais de decrepitude em sua fachada. Mas, como muitos centros espíritas do Brasil, trabalhava com eficiência e ordem. Os pacientes eram registrados e a seguir chamados conforme a faixa etária. O dia começava com os mais velhos e em estado mais crítico, que eram atendidos até as dez horas. Depois, a equipe de voluntários passava ao grupo seguinte e prosseguia assim, de faixa etária em faixa etária, até o fim do dia. O médium só saía depois de ver o último paciente! Dizem que Monteiro (e o dr. Fritz) atendeu a mais de mil pacientes num único sábado.

Esse médium de cura é também um clínico holístico com consultório no Rio de Janeiro, onde, porém, seus serviços são pagos. Em Rio Novo, faz curas espirituais uma vez por mês, de graça. Os remédios receitados ficam a cargo do paciente e podem ser naturais (fitoterápicos) ou farmacêuticos, comprados em qualquer farmácia. Os naturais são vendidos no centro em Rio Novo, por preços simbólicos.

Após chegar e preencher a ficha, sentei-me na sala de espera de meu grupo etário. Monteiro reservava uma ala do edifício às mulheres e outra, aos homens. Em se tratando de casais, marido e mulher aguardavam, para ser tratados juntos, na ala masculina.

Curas espirituais ao estilo Chico Monteiro

Monteiro, ex-locutor de rádio no Rio de Janeiro, trabalhava como médium de cura inconsciente em centros espíritas, até passar por uma completa "hibridização", depois de seu contato com vida alienígena. Aprendeu a fazer curas espirituais nos próprios centros espíritas, onde harmonizava as energias do paciente com passes magnéticos e contribuía com correntes de energia para operações psíquicas. Seu tratamento proporciona aos doentes os mecanismos de que precisam para recuperar o equilíbrio físico, mental, emocional e espiritual. Ele faz isso recorrendo ao despertar da alma e submetendo os pacientes a uma nova prática espiritual. Monteiro usa seu dom terapêutico para induzir os pacientes a refletir durante um diálogo incomum que os ajuda a eliminar dicotomias inúteis e prejudiciais, substituindo-as por perspectivas de vida novas e mais contextualizadas. Com isso, Monteiro se certifica de que cada paciente receba a graça divina da cura por mérito próprio e, assim, continue avançando na senda da evolução.

A caridade terapêutica

Um fenômeno que veio à tona com a pesquisa do dr. Fritz foi o princípio kardecista/espírita de caridade terapêutica. Por meio da terapia no contexto da caridade, podemos entender o significado profundo do movimento transcientífico brasileiro. A caridade terapêutica explicita os laços entre a saúde da pessoa e seu grau de evolução espiritual — ou, em termos mais simples, entre a saúde da pessoa e o bem-estar dos outros. Eis o que jaz no coração e na alma do conceito de evolução espiritual. A caridade terapêutica também ajuda os pacientes a reconciliar suas experiências com o sobrenatural, principalmente ao reconsiderar e reestruturar o modo como cultivam suas convicções religiosas e seus conhecimentos científicos. Esse tipo de caridade funciona integralmente em todas as esferas humanas, sobretudo na social, com vistas a harmonizar o processo filosófico-espiritual com o espiritual-científico. Inaugurando, em última análise, um diálogo novo para a humanidade, a salvação do homem por meio de sua própria evolução espiritual deve ser alcançada pela viagem de autodescoberta, durante a qual ele modifica suas percepções limitadoras e prejudiciais.

Segundo Monteiro, não é tanto a fé do paciente que o cura, mas principalmente sua vontade e disposição para receber a graça curativa do Criador. Ou seja, ele se cura devido à crença em seu próprio valor. A disposição e a clara compreensão do valor próprio também atendem às expectativas morais de Deus e do paciente, harmonizando por fim aquilo que precisa ser reconciliado e facilitando a cura. O paciente deve primeiro tomar a decisão, assumir o compromisso de ser curado, acreditar de todo o coração que merece a cura e que ela se realizará quando ocorrer a troca de energias entre ele e o médium. Renunciando a velhas maneiras de ver a vida e abrindo espaço para novas perspectivas de saúde, o paciente está em vias de se transformar num homem novo e saudável, apto a acelerar a vibração dos seus níveis energéticos.

Monteiro também faz outra importante distinção entre cirurgia espiritual e tratamento espiritual, pois há muitos pacientes que não se submetem a cirurgias espirituais, apenas a tratamentos espirituais. Ele acrescenta que esse último tipo de terapia serve de proteção, de escudo contra futuras manifestações da doença.

Para sua tese de mestrado publicada em 2007, Inácio Manuel Neves Frade da Cruz estudou as curas paranormais espirituais de Monteiro, entrevistou voluntários de sua equipe (alguns, médicos alopatas) e acompanhou seus pacientes. Fato interessante, mais de 65% destes, quando indagados sobre se achavam que a religião, a ciência, ambas ou nenhuma delas afetam diretamente a cura, responderam que a seu ver as duas coisas, ciência e religião, são responsáveis pelo fato. Isso mostra que, neste caso, os respondentes brasileiros estão empenhados num diálogo mais franco entre a ciência e religião, pois já superaram sua mentalidade dividida a fim de substituí-la por visões mais contextualizadas, em que

O paciente deve primeiro tomar a decisão, assumir o compromisso de ser curado, acreditar de todo o coração que merece a cura e que ela se realizará quando ocorrer a troca de energias entre ele e o médium.

fenômenos espirituais e científicos coexistem. Nesse intercâmbio, pode-se identificar uma nova filosofia espírita, que vê o corpo material como camadas concentradas de energia, numa perspectiva científico-holística.

Monteiro, com sua abordagem ecumênica, conquistou os corações de inúmeros pacientes. Sua equipe de voluntários vê com agrado essa qualidade única, pois não se espera deles que impinjam aos doentes uma pesada doutrina religiosa ortodoxa. Todos os credos são bem-vindos no Centro Paracientífico Adolph Fritz. Esse conceito ecumênico deriva das muitas leituras "éticas" de filosofias orientais, yoga, teosofia e budismo, como também de contatos de Monteiro com o mundo extrafísico. Em cada um desses ensinamentos, ele busca reflexão prática, meditação e estudo, para que possa oferecer aos pacientes um diálogo comum, no qual cada interlocutor seja capaz de encontrar sua própria verdade, equilíbrio e integridade.

De seu contato com alienígenas, Monteiro descreve a vida num planeta desconhecido chamado *Norom*, não muito distante da Terra. Refere-se a ele como um repositório de amor e paz, onde todos os seres se entendem perfeitamente para seu próprio bem. O primeiro contato extrafísico ocorreu em 25 de fevereiro de 1992, em uma estrada entre duas cidades próximas, Miraí e Guiricema, no Estado de Minas Gerais. Monteiro afirma também que, em outra ocasião, visitou um planeta diferente, este um gigantesco laboratório interplanetário onde todos os habitantes são cientistas. Ali só se discute ciência; a ciência governa o planeta. Seres de luz são mandados para lá a fim de aprender e trocar informações de cunho científico. Comunicam-se intergalacticamente com a Terra e com outros planetas do universo.

Eis a noção de evolução humana planetária de Monteiro, que associa a vida espiritual à vida extraterrestre: ambas as formas trabalham juntas num esforço comum para ajudar a humanidade a se desenvolver. Ele não vê nenhuma distinção importante entre as duas entidades, a espiritual e a extrafísica, pois em sua opinião tanto os espíritos quanto os seres extrafísicos assistem igualmente a humanidade em seu progresso material e espiritual.

O Centro Paracientífico é frequentado por um grupo de 270 espíritos que ajudam Monteiro nas curas paranormais, cada qual com sua especialidade médica e funções bem determinadas. Essa equipe de seres espirituais auxilia-o lado a lado com os voluntários encarnados, que recebem pacientes uma vez por mês no centro. É o que explica a incrível rapidez com que Monteiro atende a mais de mil enfermos por dia: ele não está sozinho. É graças à ajuda de 270 voluntários espirituais e de sua equipe encarnada que tudo acontece com tamanha eficiência. Os espíritos ou entidades trabalham com ele orientando o curso do tratamento do paciente, pois Monteiro não tem treinamento técnico e clínico para dominar todas as especialidades médicas.

Ao contrário dos curadores espíritas e sua crença kardecista de que o karma desempenha um papel decisivo nas curas, Monteiro afirma que seus pacientes não devem se prender a semelhantes crenças. Aconselha-os a ponderar as infinitas possibilidades que acenam com uma esperança plena. Se os pacientes desejarem a cura, deverão esquecer tudo o que os impede de encontrá-la; assim, havendo uma mudança de percepção, eles começam a ver tudo sob uma nova luz, a absorver novas informações, a fazer as coisas de maneira diferente em um genuíno e totalmente novo processo de autotransformação, autointegração e autocura. É este, em si, o grande objetivo terapêutico do curador paranormal: oferecer aos pacientes a possibilidade de se desviarem de seu karma às vezes pesado, algo que a medicina alopática ou holística tradicional continua ignorando. Graças a essa possibilidade de afastar o fardo insuportável do karma, a saúde da pessoa lhe é inteiramente confiada e ela assume plena responsabilidade pela própria cura. Se apreendemos a essência da caridade terapêutica, quanto mais fazemos pelos outros, mais porções do karma negativo são revertidas e com mais frequência os milagres acontecem. Talvez essa sincronia é que revele ao investigador uma correlação positiva entre o grau de evolução espiritual do enfermo e sua capacidade de se curar mental, emocional, espiritual e fisicamente. Em definitivo, é necessário consagrar mais tempo, estudo e pesquisa séria a esse curador paranormal com sua visão única da terapia mediúnica *à brasileira*!

Se os pacientes desejarem a cura, deverão esquecer tudo o que os impede de encontrá-la; assim, havendo uma mudança de percepção, eles começam a ver tudo sob uma nova luz.

Para entender a função mais importante do curador Monteiro como um curandeiro paranormal, é essencial que os seus pacientes entendam suas doenças (ou qualquer outra parte de sua experiência humana), não seguindo um modelo de dicotomia limitada, mas de uma perspectiva que considere o corpo como a "condição" precípua que foi inserida neste mundo para sua evolução espiritual, e assim poder vê-la como algo que nunca foi destinado a ser continuamente dissecado, cortado, ferido e fragmentado. Ao fracionar a alma em expressões múltiplas do ser, só se cria maior confusão, conflito e doenças para todos.

O enigmático espírito do dr. Adolph Fritz, o cirurgião espiritual quântico do Brasil

"Entendam o significado espiritual de tudo."
— Dr. Fritz

O ponto central de toda pesquisa é o trabalho de campo associado à descoberta de fatos que possam reconstituir uma história. Mas eu confesso que encontrar dados sobre o médico alemão dr. Fritz foi uma tarefa árdua. Várias fontes não confirmadas sustentam que ele nasceu Adolph Frederick Yeperssoven em 1876 (outra fonte dá como data de seu nascimento 27 de abril de 1874), enquanto algumas indicam que ele veio ao mundo em Munique, Alemanha. Afirmam várias dessas fontes que a família se mudou para a Polônia quando Fritz tinha 4 anos de idade. A mãe e o pai morreram quando ele ainda era muito jovem. Não se sabe se quem o criou foram os avós ou uma rica família polonesa (na época, a Polônia era território alemão). Para algumas fontes, ele se formou com 23 anos, para outras com 28, na Universidade de Varsóvia, a maior e mais renomada do país. Mas há também menção de que Fritz frequentou a Universidade de Yverdun, na Suíça.

Foi um pouco desanimador encontrar tantas versões irreconciliáveis sobre o médico alemão. Os céticos garantem que isso acontece porque o dr. Fritz nunca existiu e todos os médiuns de cura brasileiros que supostamente o incorporam fabricaram suas memórias. É uma explicação lógica, admito, mas como ignorar a realidade das listas de curas que esse espírito realizou no Brasil durante as seis últimas décadas? O número, bastante significativo, resistiu à prova do tempo e pressupõe sem dúvida um fenômeno único e real.

Prosseguindo com a história dessa figura mal construída, uma fonte esclarece que numa de suas visitas a Barcelona ele conheceu uma jovem cigana, Guadalupe. Iniciou-se logo um caso amoroso que, na aristocrática sociedade europeia a que Fritz pertencia, estava desde o começo fadado ao insucesso. Embora a família jamais aceitasse Guadalupe, Adolph insistia em seu amor por ela. Ficaram juntos por algum tempo até o nascimento de Sheila, sua filha ilegítima.

Mãe solteira, Guadalupe se viu em dificuldades para cuidar da menina. Teve de recorrer a Adolph, que aceitou a filha, mas, como esperava, foram ambos rejeitados. Sem opção, deixou a casa da família para viver com Sheila. Tornaram-se inseparáveis. Anos depois, descobriu que seu grande amor, Guadalupe, falecera.

Pouca coisa mais se sabe dessa figura além de que, durante a Primeira Guerra Mundial, trabalhou como médico na linha de frente e salvou um número incontável de soldados feridos. A filha pode ter sido sua enfermeira ou médica assistente.

De novo, fontes não confirmadas dão 23 de agosto de 1914 como a data em que Adolph desencarnou juntamente com Sheila, sua equipe e 139 mil soldados russos e alemães, que também perderam a vida naquele dia na Estônia. Mais tarde, já no mundo espiritual, o espírito de uma mulher se aproximou dele e chamou-o de "Fritz", nome que ele não reconheceu. Disse a ela: "Chamo-me Adolph". E a mulher continuou: "Sim, meu filho, mas daqui por diante seu nome espiritual será Fritz. Tenho uma nova missão para você. O Pai deseja que regresse à Terra para fazer caridade e completar sua tarefa". E foi assim que, em 1948, Adolph escolheu seu primeiro médium brasileiro, José Pedro de Freitas, mais conhecido como Zé Arigó, por meio do qual seu espírito voltaria ao mundo físico.

Mensagem do dr. Fritz

"Irmãos:

Esta mensagem é um alerta para as almas encarnadas e não um desafio às leis dos homens, suas religiões e cultos — muito menos às eternas e justas Leis de Deus.

O Criador do universo, de cuja existência somos parte, revela Sua misericórdia por intermédio de meu trabalho e também do de outros espíritos que recorrem a médiuns ou simplesmente evocam a clemência do céu. Quando pedimos com fé, de livre e espontânea vontade, tratando nossos irmãos com amor e dedicação, Suas grandiosas e imutáveis leis permitem uma intervenção direta dos espíritos de luz em favor daqueles que imploram clemência para quando forem julgados.

Somos ouvidos conforme nossos méritos e nossa iluminação na senda das palavras maravilhosas que a todos nos aguardam. Quando mudamos sinceramente nossos corações, todo o resto muda e todas as dores físicas e morais são aliviadas."

— Dr. Fritz (Moreira, 2002, p. V)

Em defesa do dr. Fritz e do seu movimento da consciência

Ao final deste capítulo sobre as manifestações paranormais por meio dos médiuns e as curas do dr. Fritz, espero que o leitor tenha adquirido um senso de direção mais claro e constatado que um cuidadoso investimento em saúde física, mental e moral é o melhor para seu bem-estar. A pessoa tem de escolher a escola que frequentará: passar pela vida buscando compreensão e progresso espiritual ou percorrer a estrada mais batida, que é o caminho do sofrimento. Devemos cultivar o altruismo ou o egoísmo? A indiferença ou a caridade moral? Seremos solidários igualmente com todas as disciplinas e grupos ou continuaremos apegados ao mesmo sistema que privilegia alguns e discrimina outros, relegados às margens da sociedade? De novo, a escolha é de cada um.

Espero que os valiosos ensinamentos dados aqui pelo dr. Fritz tenham ajudado o leitor a chegar a uma nova compreensão dos verdadeiros objetivos da doença ou, pelo menos, colocado a doença em sua perspectiva e contexto mais amplos. A doença se manifesta nos corpos físico e sutis para nos chamar a atenção, nos induzir a buscar o equilíbrio e a verdade. Entrando em contato com essa verdade recém-descoberta, a pessoa pode refletir sobre valores há muito esquecidos; e, caso esteja distanciada deles ou não tenha nenhum sobre o qual refletir, esses ensinamentos a ajudarão a se reaproximar das verdades espirituais de que se afastou. A procura de autoconhecimento e autotransformação é que faz a jornada; e a jornada é a recompensa de uma vida plena e satisfatória. A aquisição de um novo conteúdo espiritual nos leva ao rumo certo, em que descobriremos respostas para a maioria, se não para todas as perplexidades da vida presente.

Em retrospecto, o papel do médico no tratamento do paciente é principalmente servir como educador, levando-o a ser mais responsável por sua própria cura. Muitos pacientes só adotam um estilo de vida saudável ou preventivo depois de um diagnóstico de doença. Enquanto há outros que nunca, apesar de um diagnóstico, pensam em mudar alguma coisa. Pode-se dizer que este último grupo está no caminho da autodestruição ou de um tipo de suicídio inconsciente.

Médiuns de cura que trabalham com os médicos convencionais estão combinando conhecimentos científicos com os espirituais para conectar a ciência da consciência com o tratamento, o quadro e a prática clínica, possibilitando a cura de todos os níveis, emocional, mental, biológico, espiritual, cultural e social. Quando o estudo do espírito fizer parte dos estudos acadêmicos e científicos, e essas verdades se tornarem verdades científicas aceitas, a dimensão espiritual da doença não estará mais ausente da sua taxonomia. Todo o fenômeno visível, bem como todo o invisível, deve ser considerado em sua totalidade. A reintrodução do componente espíritual finalmente trará uma sensação de realização, completude e justiça, resolvendo finalmente grande parte da atual disputa que tem existido entre ciência e religião nos últimos séculos.

Parte Quatro

Colônias espirituais, médicos, clínicas e tratamento da alma

Capítulo 13

Colônias espirituais e clínicas da alma

Um formidável movimento transcientífico começou no Brasil em meados do século XX, pouco depois da divulgação de notícias sobre atividades de OVNIs, no governo do presidente Juscelino Kubitschek e seu incrível projeto idealista de construir a nova capital, Brasília, em apenas cinco anos (outras administrações normalmente precisariam de no mínimo quinze anos). Sua visão futurista e eclética entre modernismo e misticismo seria desenvolvida e concretizada pelo famoso arquiteto Oscar Niemeyer e o engenheiro Lúcio Costa. Quando admiramos aqueles locais modernos e futuristas da nova capital, não conseguimos evitar a pergunta: de onde veio semelhante inspiração? Alguns acham que ela veio de outras galáxias. Acreditam que seres de luz ajudaram Kubitschek a realizar seu sonho e a dar forma a toda uma variedade de setores de aparência esotérica e eclética visíveis nas áreas periféricas, como o Vale do Amanhecer ou a Cidade Eclética. Brasília está comemorando seu 52º aniversário como capital e celebrando um processo de transformação entre seus cidadãos. Isso pode ser o início da realização de uma profecia do santo italiano João Bosco, que viu uma nova civilização emergindo do coração e da alma da América do Sul, isto é, do centro do Brasil.

No livro *Moradas Espirituais* (2004), da médium Vânia Arantes Damo, temos uma vívida descrição de vinte colônias espirituais localizadas na ionosfera terrestre brasileira. Descrevendo a região central do Brasil, especificamente a que cobre parte do Estado de Goiás e do Distrito Federal (Brasília), ela a chama de núcleo de uma Colônia de Regeneração. As colônias espirituais lembram muito as colônias terrestres onde se realizam atividades de cura. Esses centros terapêuticos dependem da energia que vem das colônias espirituais e por sua vez colaboram com elas, funcionando como vórtices energéticos e portais de conexão entre os mundos físico e espiritual.

Bem abaixo da colônia espiritual de regeneração no centro do Brasil há uma comunidade de cura que seria mais bem descrita como um centro terapêutico e educacional similar. Os espíritas brasileiros acreditam que a colônia espiritual seja um dos muitos níveis do céu, uma espécie de zona de transição para as almas desencarnadas. Essas colônias colaboram com as colônias terrestres (clínicas da alma e centros de cura) que estão próximas ao plano físico. Os seres desencarnados das colônias espirituais assistem os médiuns de cura e suas equipes de voluntários na recuperação e regeneração de mentes, almas e corpos. Um exemplo é a famosa colônia espiritual Nosso Lar (no sentido de "nossa morada espiritual"), localizada na ionosfera do Rio de Janeiro e que serviu de inspiração para o espetacular filme de 2010 e o *best-seller* de 1944 *Nosso Lar*, psicografado pelo mais célebre médium brasileiro, Francisco Cândido Xavier. Os avançados métodos terapêuticos e educacionais, bem como os protocolos utilizados na colônia Nosso Lar, são aplicados também pelos médiuns de cura (por exemplo, os da colônia espírita Lar de Frei Luís, no Rio de Janeiro).

Batizada com o nome do padroeiro católico de Petrópolis, frei Luís, essa instituição antecipa o encontro da medicina ortodoxa com a terapia das dimensões extrafísicas para que o mundo disponha finalmente da tão esperada cura de todas as doenças. No livro *Os Médicos do Espaço: Luís da Rocha Lima e o Lar de Frei Luís*, Ronnie Lima, consagrado jornalista brasileiro, descreve um dos centros espíritas mais visitados do Brasil, para onde afluem multidões em busca de cura e onde os cirurgiões espirituais trabalham sem instrumentos físicos, prestando assistência física, espiritual, psicológica e social de graça aos pacientes.

O Lar de Frei Luís é patrocinado por voluntários (inclusive médicos formados de doze especialidades) e por doadores particulares. Trabalham a quatro mãos com o diretor espiritual da casa e com mais de dois mil voluntários, que prestam serviços nos setores espiritual ou físico da clínica. A organização toda é notavelmente eficiente, quase como se a colônia espiritual estivesse supervisionando de perto as curas ali realizadas.

Os seres desencarnados das colônias espirituais assistem os médiuns de cura e suas equipes de voluntários na recuperação e regeneração de mentes, almas e corpos.

O Lar de Frei Luís está localizado no número 1.733 da rua Boiuna, perto de Taquara, no bairro de Jacarepaguá da cidade do Rio de Janeiro. O centro tem sua própria ambulância, uma sala de fisioterapia, uma casa de repouso para idosos, uma escola primária para crianças, um ônibus escolar, um pequeno jardim botânico, vários cafés, uma grande cafeteria, uma livraria, uma biblioteca, um centro educacional religioso, escritórios administrativos, uma área de meditação externa e treze salas para terapias específicas. Sua organização e eficiência são, pois, as de uma grande comunidade planejada de cura.

Com a mesma proficiência administrativa de uma colônia espiritual, esse centro de cura tem os mesmos objetivos terapêuticos que ocupam os ministros espirituais lá de cima. A sala 1 trata de doenças físicas crônicas — aproximadamente quatrocentos-quinhentos pacientes por dia. A sala 2 é reservada para o tratamento de outras doenças físicas (olhos, ouvidos, coração e garganta). A sala 3 cuida de distúrbios espirituais que exigem "forte" terapia de desobsessão. Os pacientes que não exigem essa terapia, porque apresentam apenas desequilíbrio espiritual menos grave, vão à sala 4 para harmonizar suas energias. A sala 5 é usada como Sala de Orientação para doentes crônicos — antes de irem para a sala 1, onde se realizam cirurgias espirituais. A sala 6 oferece tratamento a pacientes com outros problemas físicos no estômago, fígado, aparelho reprodutor feminino e rins. Função similar à da sala 4 é a da sala 7, onde também se realizam desobsessões que requeiram apenas uma abordagem mais concentrada e moderada. A sala 8 se ocupa dos casos pediátricos e gestacionais, oferecendo tratamento clínico para condições tanto do corpo quanto da alma. Crianças excepcionais (com deficiências mentais ou síndrome de Down) são alojadas e assistidas na sala 9. A área 10 fica disponível para qualquer necessidade que surja. A sala 11 oferece terapia de desobsessão para todos os tipos de vício — drogas, fumo, álcool e jogo. Outra sala de orientação para pacientes com moléstias crônicas, além da 5, é a sala 12. A sala 13 ainda estava em construção na época. Cada área é especializada e independente, funciona com eficiência e colabora com as outras para atender a quaisquer necessidades terapêuticas do paciente.

No encontro com a presidente e o vice-presidente da casa, fui informada de que todos os voluntários precisam se submeter a um programa de treinamento de seis anos para trabalhar no centro como voluntários. Boa parte do treinamento consiste em adquirir uma compreensão mais profunda das causas espirituais da doença. O centro se orgulha muito de treinar voluntários conscienciosos, que possam responder às perguntas dos pacientes e prescrever-lhes o melhor regime terapêutico. Tem pastas para todos eles (muitos são profissionais e assistentes de saúde formados na medicina alopática), seu *curriculum vitae* e fichas que resumem sua especialidade.

Embora o centro funcione a semana toda, atende os pacientes apenas às quartas-feiras e aos sábados. Eles são instruídos a entrar em contato com a secretaria antes de comparecer, pois os horários podem ser mudados de vez em quando. Há uma grande área de triagem, na qual cada paciente é examinado por um voluntário que determina sua condição física, social, espiritual, emocional e psicológica. Há também uma sala principal para onde vão todos a fim de meditar depois de receber o tratamento ou para purificar suas energias antes da intervenção.

Visitando as salas de desobsessão (3, 4, 7, 8 e 11), notei que a luminosidade era fraca e a temperatura, baixa. Soube que isso ajuda na materialização do ectoplasma (energia espiritual exteriorizada, uma espécie de substância diáfana secretada pelos orifícios do médium) que é vista quase sempre em torno do paciente e ajuda a manter a essência espiritual intacta durante a desobsessão, a cirurgia e a cura. Nessas salas, os pacientes ficam de pé enquanto recebem passes magnéticos dos voluntários espirituais. O processo todo não leva mais que alguns minutos.

Dentro do ser humano é que está o verdadeiro inimigo: o ego.

Serei eternamente grata pela oportunidade que tive de conhecer essa colônia de dedicação, cura e amor autênticos. É uma instituição que tem prosperado no Brasil durante os últimos 67 anos. Rocha Lima, químico industrial, e sua esposa Astéria inauguraram em 1947, com base na visão do espírito desencarnado do santo padroeiro de Petrópolis, frei Luís, sessões espíritas e mediúnicas em sua casa, dando aos frequentadores o nome de Irmãos do Lar de Frei Luís.

Rocha Lima foi o primeiro presidente da organização. Anos depois, em 1957, graças à sua visão penetrante e seu notório desapego das estruturas de poder e comodidades mundanas, nasceu o projeto do Lar de Frei Luís. Ele e a esposa, sem filhos, dedicaram-se inteiramente a esse lar e centro educacional (preferem os termos "educandário" ou "lar das crianças" a "orfanato"). Buscaram apoio financeiro junto a patrocinadores individuais e empresas. Com amor desprendido, cuidam das crianças como se fossem seus filhos, ministrando-lhes os ensinamentos de Cristo como valores verdadeiramente fraternos a serem discutidos e teorizados — porém, mais importante ainda, praticados. O casal tem certeza de que, transformando realmente a consciência, ajudará a tornar este um mundo melhor para todos. Segundo eles, os comportamentos negativos, deploráveis, repreensíveis e desonestos têm suas raízes nas infraestruturas econômicas, políticas, culturais e sociais vigentes. Dentro do ser humano é que está o verdadeiro inimigo: o ego.

Os médiuns do Lar de Frei Luís sabem que milagres não existem, pelo menos não no sentido que muitos atualmente lhe atribuem. Sabem também que a cura depende em parte da fé e da vontade do doente, mas muito mais de sua história kármica, das dívidas e do mérito de cada qual, definidos sobretudo pela caridade que se deixou de praticar (Lima, 2000). Herculano Pires, no livro *Arigó, Vida, Mediunidade e Martírio*, declara explicitamente: "O milagre não é a suspensão da lei natural, mas a implementação de uma lei superior" (Pires, 1998). Antes de sua morte (23 de outubro de 1995), Rocha Lima fez mais do que partilhar ensinamentos ecumênicos com seus seguidores: deixou-lhes um importantíssimo legado espiritual, a materialização de objetos e espíritos.

Como diz o dr. Ronaldo Gazolla (1935-2002), ex-presidente do Lar de Frei Luís e secretário municipal de Saúde do Rio de Janeiro, no prefácio do livro *Os Médicos do Espaço: Luís da Rocha Lima e o Lar de Frei Luís*, escrito por Ronnie Lima e publicado pela Editora Mauad (2000, 5ª edição): "O grupo de frei Luís é uma verdade que pode ser multiplicada e sem dúvida se multiplicará. É preciso humildade para entender isso porque o que pertence a Deus não pertence a ninguém exclusivamente, o que é verdadeiro não deve ser privilégio de poucos, mas sim acessível ao conhecimento das massas" (Lima, 2000, Prefácio). Disseminar esse tipo de compreensão exigirá um saber disciplinado, um financiamento suficiente e um *extremo* sacrifício pessoal no exame das complexidades e especificidades de um fenômeno tão abrangente, tão próprio dos brasileiros e tão "real" para eles.

Capítulo 14

Médicos da alma: a missão sagrada dos curadores

Os espíritas brasileiros acreditam que a terapia da alma requer médicos da alma, clínicas da alma, a assistência de espíritos altamente evoluídos e benevolentes e uma modalidade de tratamento decisiva: o conhecimento da alma. O conhecimento imortal é obtido por meio do cultivo da fé, do amor, da compaixão e do discernimento. Em termos terapêuticos, isso requer que o paciente esteja realmente interessado no constante aperfeiçoamento do seu caráter, que exerce uma influência direta sobre todas as áreas de sua vida pública e privada. Os indivíduos a quem foi confiada a tarefa de cuidar da alma humana são curadores espirituais.

Aspecto da percepção sensorial, a mediunidade é uma condição pela qual se estabelecem relações entre homens e espíritos. Trata-se de uma faculdade humana natural, inerente a todos os seres humanos, que se manifesta em diferentes níveis e de diversas maneiras. É também uma sintonização entre um ser encarnado e outro desencarnado, que possibilita um canal adequado para a percepção de pensamentos, da vontade e de sentimentos. Essa faculdade pode surgir numa pessoa independentemente de sua doutrina religiosa.

Grandes médiuns de todos os credos e de todos os tempos se revelaram, desde as épocas das civilizações mais antigas, inclusive nos templos bíblicos. A sua finalidade tem sido, acima de tudo, ter a oportunidade de servir, uma bênção pela qual Deus permite que a humanidade entre em contato com o reino espiritual. É por meio da Sua Palavra e da mediunidade que o ser humano se conscientiza de suas responsabilidades espirituais imortais.

Jesus Cristo, ao reconhecer a existência do mundo espiritual, ensinou à humanidade sobre as doutrinas secretas. Em *The Aquarian Gospel*, lemos: "Não proibais nenhum homem de realizar as obras de Deus. Não existe homem, que não seja filho de Deus, que não possa pronunciar a Palavra sagrada e, em nome de Cristo, curar os doentes e expulsar os espíritos impuros [...] O homem de quem falais é um de nós" (Dowling, 1979, p. 190). Os médiuns cumprem uma missão sagrada. Eles são especialistas no sagrado e mestres do espírito.

Grandes médiuns de todos os credos e de todos os tempos se revelaram, desde as épocas das civilizações mais antigas, inclusive nos templos bíblicos.

Não se pode esperar que os médiuns de cura prometam a cura nem deem falsas esperanças. A missão deles é aproximar novamente os pacientes de sua espiritualidade, reconectando-os com o mundo espiritual. Se necessário, eles podem ajudar a identificar o obsessor do paciente, tentar realizar procedimentos de desobsessão, ministrar passes e providenciar água magnetizada (energizada com a energia do agente de cura). Tudo isso contribui para reativar a capacidade de cura do paciente. Os praticantes da cura mediúnica, por mais controvertidas e pouco ortodoxas que as suas técnicas possam parecer inicialmente, nunca contradizem os ensinamentos do evangelho cristão nem se opõem a colaborar com a medicina alopática.

O excerto a seguir explica a mediunidade de cura como uma modalidade influente de tratamento. Desde as lições de Udraka, entre os sudras e visyas, até a vida e as obras de Jesus na Índia, elucidadas por *The Aquarian Gospel*. Nesse período, Cristo viajou e compartilhou a sua sabedoria com mestres, videntes e sábios nos templos e escolas do Tibete, do Egito, da Índia, da Pérsia e da Grécia:

"O curador é aquele que inspira fé. A língua pode falar aos ouvidos humanos, mas as almas são tocadas pelas almas que falam com almas [...]

Ele é o homem vigoroso cuja alma é grandiosa e que pode adentrar outras almas, inspirando esperança naqueles que não a têm mais e fé naqueles que não têm mais fé em Deus, na natureza ou no homem [...] Milhares de coisas produzem desarmonia e deixam os homens doentes; milhares de coisas podem afinar a espineta e fazê-los melhorar [...] Aquilo que é remédio para um é veneno para outro [...] A virtude da mão ou do sopro pode curar outros milhares; mas o amor é soberano. O pensamento, reforçado pelo amor, é o bálsamo supremo de Deus [...] Contudo, muitos dos acordes quebrados da vida e desarmonias que atormentam a alma são causados por espíritos malignos do ar que os homens não veem; que os levam a transgredir por ignorância as leis da natureza e de Deus [...] Esses poderes agem como demônios e falam e despedaçam o homem; levando-o ao desespero [...] Mas aquele que é curador, de verdade, é mestre da alma, e pode, por força ou vontade, controlar esses espíritos malignos [...] Alguns Espíritos do ar são espíritos magistrais e poderosos, poderosíssimos para o poder do homem apenas; este, no entanto, têm auxiliares em seus reinos superiores que, sendo evocados, ajudarão a expulsar os demônios [...] E Jesus curvou a cabeça em reconhecimento à sabedoria dessa alma magnânima e se foi" (Dowling, 1979, pp. 58-59).

Em Gadara, Jesus expulsou os espíritos impuros de um homem. Povo cheio de temores, acreditava que, se Ele podia banir espíritos impuros e ser um homem de tamanho poder transcendental, poderia devastar as suas terras quando quisesse, por isso as pessoas pediram que Jesus partisse. O medo levou o povo a resistir e rejeitar uma força de tamanho poder.

A mediunidade é uma vocação e uma dádiva concedida por Deus que requer que a pratiquem de maneira santa e religiosa. "Se há um gênero de mediunidade que requer essa condição de uma maneira ainda mais rigorosa é a mediunidade de cura" (Kardec, 2000, p. 306-307). O médium de cura, ao transmitir energias salutares por meio dos bons espíritos que canalizam a energia divina, nunca pode cobrar pelos seus serviços. Como Jesus disse aos seus discípulos, "Curai os enfermos, ressuscitai os mortos, purificai os leprosos, expeli demônios; de graça recebestes, de graça daí" (Mateus, 10:8).

"Deus lhes tinha dado esses dons gratuitamente para que aliviassem os que sofriam e para ajudar a propagação da fé. Por isso Jesus disse aos Seus discípulos para que não transformassem os seus dons em artigos de comércio, isto é, para que não os utilizassem para auferir lucros ou como meio de vida" (Kardec, 2000, p. 303). "Onde não há lucro, é improvável que haja fraude" (Kardec, 2000, p. 19). Além disso, é preciso prestar contas a Deus pela sua má utilização. "[...] aqueles dotados desse dom terão que se responsabilizar pelo uso que tenham feito de uma faculdade que lhes foi dada para beneficiar os seus semelhantes" (Kardec, 2000, p. 333). O cultivo da mediunidade, portanto, requer uma sincera disposição para servir.

Capítulo 15

O fenômeno de cura de Abadiânia: João de Deus

João de Deus, como é afetuosamente chamado, está entre os mais poderosos curadores da atualidade. João trabalha como médium inconsciente de cura e de efeitos físicos há quase cinquenta anos na Casa de Dom Inácio, na cidadezinha de Abadiânia, em Goiás. Esse fenômeno da cura mediúnica está cumprindo a sua missão sagrada de servir à humanidade servindo de exemplo e proporcionando um novo modelo de medicina para o resto do mundo. Diante das incessantes expressões de gratidão das multidões que ele trata enquanto está incorporado, João sempre diz: "Eu não curo ninguém; só Deus cura".

João está já com os seus 60 e poucos anos e faz curas desde que era um adolescente. Ele dedicou a vida à missão de curar os doentes e servir sem nada cobrar e sem perder o seu dom. Ele incorpora mais de vinte entidades espirituais, que realizam curas "milagrosas" naqueles que o procuram ou que Deus considerou merecedores de uma cura. Ele não se lembra de nada do que acontece enquanto está "incorporado" por um espírito benevolente, embora muitos sejam curados de graves problemas de saúde enquanto estão sob os seus cuidados.

Muitos desses pacientes receberam diagnósticos de doenças incuráveis. As entidades trabalham por meio da intervenção divina e, utilizando João como instrumento, já curaram todos os tipos de câncer, AIDS, distrofia muscular, asma, esclerose múltipla, doenças do coração, sequelas de derrames, cegueira e paralisias. João, quando incorporado, é um mestre em desobssessão e no tratamento de pessoas insanas ou que foram alvo de maldições e feitiços. Ele já realizou maravilhas com pacientes que sofriam de depressão ou eram viciados em drogas ou álcool. Já foi testado e estudado por cientistas e médicos, que não descobriram nenhuma fraude em seus trabalhos nem conseguiram lhes dar nenhuma explicação com base no atual paradigma científico.

João sempre diz, "Eu não curo ninguém; só Deus cura".

João dedica a sua vida à humanidade. O seu propósito é curar os doentes e conscientizar as pessoas de que estamos na Terra para melhorar o nosso nível do "outro lado", elevar a posição da nossa alma no pós-morte por meio de nossas obras na vida física (Estrich-Pellegrino, 1997). Na tenra idade de 16 anos, "ele aceitou a responsabilidade de dedicar a sua vida à incorporação espiritual com o propósito de curar os doentes. Aceitou uma tarefa para toda a vida, que exigiu muito dele e, em troca, provocou abusos, privação pessoal, perseguições e prisões ilegais" (Estrich-Pellegrino, 1997, p. 6).

João de Deus é um homem humilde, devoto e amoroso. Ele aceita e trata todos sem discriminação ou preconceito religioso. Numa sociedade que não distribui os recursos igualmente e onde nem todos têm acesso a esses recursos, esse tipo de sistema de saúde é extremamente recomendável. João cura os pobres exatamente como cura os ricos ou famosos, e não recebe nenhum pagamento pelos seus serviços. Ele é um modelo exemplar de médium de cura genuíno e competente.

João tem fé, boa vontade e a compreensão da predominância do espírito sobre o mundo físico (material). Mais importante ainda, João e outros curadores autênticos como ele ensinam os pacientes a seguir a sua orientação interior e a aprender a diferenciar os pensamentos

O seu propósito é curar os doentes e conscientizar as pessoas de que estamos na Terra para melhorar o nosso nível do "outro lado", elevar a posição da nossa alma no pós-morte por meio de nossas obras na vida física.

motivados pela força e pela paciência (fé) daqueles motivados pelo medo e pela ilusão (que caracterizam as fraquezas humanas).

A força e a paciência são necessárias para que a cura ocorra, principalmente nos casos em que ela não é instantânea. Força, coragem e sabedoria são fundamentais para que possamos entender que o Senhor tem as suas próprias razões para curar uma pessoa instantaneamente e outra ao longo de um período de tempo.

Na Casa de Dom Inácio, as entidades que João de Deus incorpora são espíritos benevolentes de médicos, cirurgiões, agentes de cura, psicólogos e teólogos falecidos, que consideram Deus como a única fonte de cura. Por meio de João, que serve como canal, as entidades ajudam-no a fazer os diagnósticos e tratamentos daqueles que estão enfermos e fizeram a longa jornada até a cidadezinha de Abadiânia. Nesse santuário de cura, médicos alopatas e médicos espíritas assistem o médium de cura João enquanto aprendem sobre os reinos maiores da medicina.

Esses parceiros (agentes de cura, espíritas e médicos) são vistos em vários santuários de cura do Brasil. Servindo como santuários e clínicas de saúde, essas casas ou centros proporcionam um atendimento médico que, segundo os próprios pacientes, é muito mais pessoal, compassivo e eficaz.

Capítulo 16

Casa de Dom Inácio: um santuário de cura multirreligioso e não denominacional que trata almas doentes e debilitadas

A Casa de Dom Inácio desempenha uma função única para pacientes, médicos e agentes de cura, ao reafirmar a fé num poder maior. Trata-se de um edifício multifuncional que satisfaz as necessidades da mente, da alma e do corpo, tudo num só lugar, e é palco de uma colaboração sem igual entre terapias multidisciplinares. A Casa proporciona um ambiente terapêutico para pacientes de todas as procedências, camadas sociais, credos e nacionalidades. A participação da comunidade na cura dos pacientes significa que cada um deles recebe um grande apoio da família e de amigos (encarnados e desencarnados).

Ao contrário dos tratamentos clínicos convencionais, um tratamento que também leve em conta as necessidades espirituais dos pacientes provavelmente lida de maneira mais competente com qualquer tipo de transgressão moral. Para aqueles a quem falta autodisciplina ou a lembrança dos princípios humanos básicos e que sentem falta de um mentor que possa ajudá-los na sua relação com Deus, o médium pode servir como um conselheiro espiritual.

O caráter simples e nada burocrático da Casa de Dom Inácio poupa o paciente da grande frustração e do aborrecimento desnecessários, típicos das organizações complexas da maioria das instalações convencionais. Para começar, os pacientes não precisam atender a nenhum pré-requisito nem passar pela longa espera imposta pelas autorizações ou carências dos planos e seguros de saúde, algo que só contribui para estender o tratamento já exaustivo e que pode até influenciar negativamente a saúde do paciente.

Não existe um departamento financeiro que faça cobranças ao paciente ou a terceiros. O aspecto multidisciplinar (contendo todas as especialidades médicas num só lugar) da Casa elimina a necessidade de diversas cobranças para uma variedade de recursos médicos utilizados no diagnóstico e nos procedimentos médicos (por exemplo, radiologia, anestesista, laboratório, especialistas etc.) e, portanto, elimina também muitas frustrações desnecessárias e custos adicionais. Isso parece coisa de outro mundo, mas é a realidade da Casa de Dom Inácio e de muitas outras casas de cura que seguem o mesmo modelo no Brasil.

A Casa também serve como uma instituição educacional para leigos e profissionais de saúde. Para estes, ela proporciona formação e treinamento que foram excluídos dos currículos das escolas de medicina convencionais. Assim, essa experiência educacional oferece uma nova percepção que transporta os profissionais de saúde para além da análise patológica e fisioquímica do corpo humano, levando-os a explorar o componente que falta na medicina: a alma humana.

O cenário e o ambiente propício da Casa ensinam aos médicos com formação ocidental que a medicina é uma expressão de compaixão (literalmente em ação), algo que é aplicado a todos os aspectos dessa mais nobre e humilde vocação, e começa com a transformação do relacionamento entre médico e paciente.

Reeducando os profissionais de saúde, a Casa faz com que compreendam novos valores que aumentam a responsabilidade do paciente com relação à própria cura. Isso ajuda os médicos a aprenderem sobre a importância de se cultivar uma confiança mútua no relacionamento com seus pacientes. A Casa serve como um importante centro de pesquisa, que reúne uma variedade de disciplinas acadêmicas dedicadas ao trabalho investigativo. Arquivos de vídeos gravados diariamente, registros de pacientes e testemunhos são guardados e ficam à disposição de pesquisadores, profissionais de saúde, céticos e do público em geral.

Como também é uma escola para pessoas que não são ligadas à área da saúde (pacientes ou visitantes), a Casa proporciona o que uma instituição educacional, médica e religiosa, oferece: conhecimento, tratamento e orientação médica e espiritual. Em vez de abarcar várias instituições, a Casa acomoda todas as necessidades multidisciplinares dos pacientes sob o mesmo teto. A mente doente ou o corpo enfermo são tratados ao mesmo tempo que se trata da alma.

Por ser uma instituição de saúde sem fins lucrativos, a Casa opera apenas com a ajuda de voluntários e oferece uma oportunidade para que todos possam participar dessa experiência gratificante. O trabalho com pacientes graves ajuda os voluntários a ver como algo trivial as suas disposições de espírito às vezes indiferentes, descrentes, empedernidas ou cheias de ingratidão.

Embora médicos, pacientes e visitantes componham a maior parte dos frequentadores da Casa, o número de membros da comunidade paranormal do mundo todo (inclusive do Brasil) também é significativo. Membros genuínos dessa comunidade têm a importante missão de remover barreiras entre a humanidade e o reino do espírito. Eles são guardiões da sabedoria sagrada. Nesse sentido, a Casa não é apenas uma instituição de ensino para médicos, pacientes e visitantes. Ela também serve como um lugar para médiuns em potencial receberem inspiração, treinamento e orientação. Por servir como um modelo de instituição de ensino e de cura transcendental para as futuras gerações de médiuns de cura e *médicos espíritas*, a Casa de Dom Inácio, assim como outras *casas*, estão ajudando as novas gerações de profissionais de saúde integrativa a concluir o monumental trabalho da medicina transcendental.

Ao contrário dos planos de tratamentos clínicos convencionais, o tratamento oferecido na Casa de Dom Inácio também leva em conta as necessidades espirituais dos pacientes e lida de maneira mais competente com qualquer tipo de transgressão moral.

Capítulo 17

Entidade patrona da Casa de Dom Inácio: Santo Inácio de Loyola

O aspecto ecumênico da Casa de Dom Inácio, em Abadiânia, é o traço mais marcante da cura que se pratica ali. A Casa respeita todas as pessoas, todos os credos; todos os filhos de Deus se unem como um único ser. Todos, buscando da mesma fonte, rezam juntos, com um só pensamento, um só coração, por uma única família, para um único Deus — uma experiência de cura inacreditável.

Foi o médium de renome internacional Chico Xavier que pediu a João de Deus que desse à Casa o nome do fundador da Ordem dos Jesuítas, Santo Inácio de Loyola, e escolhesse a cidade de Abadiânia para sediá-la.

Inácio de Loyola era um grande defensor e soldado de Cristo e da Sua Igreja. O seu coração e a sua paixão pela Glória de Deus se traduzem nas suas lutas pela fé e pela justiça, numa relação entre credos e culturas e no diálogo inter-religioso que propicia uma experiência íntima com Deus. Isso poderia explicar por que ele continua o seu trabalho no reino espiritual, abraçando a comunidade mais ampla e dirigindo esse santuário de cura multirreligioso na região central do Brasil.

Santo Inácio de Loyola fundou a Companhia de Jesus, mais conhecida como Ordem dos Jesuítas da Igreja Católica, em 1540. Essa ordem se caracterizava pela educação moral e pelas contribuições intelectuais, principalmente em colégios e universidades, e também pelo trabalho missionário e pelo ministério dos direitos humanos e da justiça social. A educação jesuíta estimulava, de maneira marcante, um estudo de todas as principais religiões do mundo, para que os seus alunos pudessem identificar o fio que unia todas elas, ou seja, um poder superior.

Nessa época, em sua cidade natal, Azpeitia, na Espanha, e também na maior parte da Europa, a sociedade era desafiada pelos ideais do humanismo e da Renascença — ambos caracterizados pela importância que davam ao conhecimento. Enquanto crescia forte na fé e na disciplina, ele descobriu esse conhecimento buscando a educação cristã e levou-o, com o seu ministério, a todas as partes do globo, chegando ao Brasil no século XVI.

Na sua tentativa de salvar e arrebanhar almas para o reino de Cristo, ele escreveu *Exercícios Espirituais de Santo Inácio*, obra ainda hoje muito útil na vida espiritual de muitos, e fez com que as suas obras imortais na Ordem dos Jesuítas crescessem em número e em fé. Membros dessa ordem dedicaram-se aos ensinamentos de Cristo, com toda a beleza revelada na forma de arte sacra. A Companhia de Jesus disseminou esses ensinamentos e pôs em prática o amor de Cristo à medida que divulgava o Seu nome e semeava a Sua Palavra em terras estrangeiras. Embora Inácio tenha atingido a Glória de Deus em seus trabalhos monumentais, o início da sua vida, antes do seu redespertar, foi norteado por seu coração jovem e rebelde.

Nascido em 24 de dezembro de 1491, numa família de nobres abastados, Inácio era o caçula de uma família numerosa (algumas fontes afirmam que eles eram em treze irmãos; outras, que eram em onze). Ele cresceu e se tornou um jovem violento e agressivo, cujo redespertar aconteceu depois que foi ferido na batalha contra a França, em Navarra. Ele e os seus homens foram capturados pelas tropas francesas, mas a sua grande coragem e valor fizeram com que fossem libertados. Ferido, ele entrou em coma e teve uma visão de Pedro, o apóstolo, que curou a sua perna e aconselhou-o a dar outro rumo à sua vida.

Posteriormente, Inácio recebeu uma visão de Mãe Maria, que inspirou-o a escrever *Exercícios Espirituais de Santo Inácio*, o manual sobre como nos livramos de todos os apegos, para aproximar a nossa alma de Cristo.

Esses exercícios espirituais são um convite aberto para todos participarem de uma profunda experiência do Mistério de Deus — a experiência única e suprema que dá à vida um verdadeiro sentido. Esses exercícios consistem num programa de quatro semanas, que começa com um exame geral da consciência: um exame dos pensamentos, das palavras e das atitudes, que, segundo recomenda Dom Inácio, deve ser seguido de uma confissão e da Comunhão (um importante ritual católico no qual se faz a Sagrada Eucaristia, ou o Corpo e o Sangue de Cristo, algo que Cristo instruiu os discípulos a fazer em Sua memória).

A segunda semana consiste numa profunda contemplação de duas bandeiras: a bandeira de Cristo e a bandeira de Lúcifer. Trata-se da contemplação da natureza do bem e do mal. Ou, como Jesus a descreveu em aramaico, a contemplação de uma semente que brotou e de outra que não brotou ainda.

A terceira semana leva a alma à contemplação da meia-noite, que faz uma revisão das regras no comer e examina os tipos de oração, como a leitura das escrituras, a medicação, a contemplação, a adoração e o louvor e a prece petitória ou em que se pede uma bênção.

A quarta semana consiste em reviver os mistérios da vida, da paixão, da morte e da ressurreição de Cristo. Ao longo dessa semana, a pessoa aprende também as regras para diferenciação dos espíritos: por meio da consolação espiritual (espíritos positivos e superiores nos influenciando; a luz da alma) e a desolação espiritual (espíritos negativos e inferiores, influenciando os nossos pensamentos; a escuridão da alma). Depois de nos familiarizarmos com os Exercícios Espirituais, fica mais claro por que Santo Inácio foi nomeado o patrono dos retiros espirituais e por que ele é invocado como proteção contra espíritos mal-intencionados.

A Santa Mãe de Jesus aconselhou Inácio a viajar e pregar o caminho da luz. Ele ouviu e abriu mão de todos os seus bens mundanos, que, para ele que pertencia a uma família abastada, significava desistir de uma quantia substancial de bens materiais, status e prestígio. Ele chegou ao ponto de trocar as suas finas vestes pelas roupas de um mendigo. Viajou a pé pela Espanha, rumo a Jerusalém, fazendo uma parada no altar de Nossa Senhora de Montserrat, nos arredores de Barcelona. Ele foi ridicularizado e perseguido, até acabar gravemente doente.

A sua parada nos arredores de Barcelona, em Manresa, tornou-se uma estadia de dez meses. Ali ele jejuava, rezava e lia durante horas todos os dias. Foi nessa cidade que ele teve uma visão e jubilosa exaltação (levitação), que aconteceu durante as suas orações. Ele entrou num transe místico que fez com que uma luz se irradiasse da sua testa.

Foi nessa época também que ele leu *Imitação de Cristo*, de T. Kêmpis, livro que carregaria com ele em sua meditação diária. Inácio ganhou profundo conhecimento místico da Trindade, do Ato Divino da Criação, da presença de Cristo na Eucaristia e na Humanidade de Cristo e Maria. Ele também foi inspirado a ler *A Vida dos Santos*, particularmente a de Francisco de Assis, a de Antônio de Pádua e a de São Domingos. Inácio ensinou muitos a encontrar a paz da alma, mas foi preso por causa desses ensinamentos, depois de acusado de não ser um padre ordenado.

Em 1528, ele se mudou para Paris, com a intenção de terminar os estudos. Permaneceu na cidade durante sete anos. Ali os seus exercícios espirituais seguiam a fórmula do retiro, realizado por meio de um completo recolhimento do mundo exterior, durante um mês de solidão, prece e meditação. A reflexão espiritual, distanciada das distrações mundanas, é uma integração do eu com a finalidade de descobrirmos como nos comunicar com Deus, sob a bandeira de Cristo.

Numa igreja distante, fora de Roma, Deus Pai e seu Filho mostraram-se a Inácio, dizendo-lhe: "Nós o veremos favorecido por Roma" e por isso a Companhia de Jesus recebeu um rigoroso exame e aprovação do papa Paulo III, que admitiu a vontade de Deus e confirmou a Sociedade, em 15 de agosto de 1534.

Sabe-se que Inácio foi abençoado com o poder de cura divino, pois ele usou o seu dom para libertar uma menina de espíritos malignos, fazendo o sinal da cruz. Em outra ocasião, ele curou um amigo que estava à beira da morte, abraçando-o. A sua paixão, porém, era fazer sermões para as multidões, para conduzir almas ao reino celestial com a Palavra de Deus. Ele pagou um alto preço por isso. O seu amor por Cristo e a sua piedosa dedicação à tarefa de salvar almas muitas vezes fez com que fosse atormentado por demônios e espíritos inferiores, que o viam como alguém que travava uma guerra espiritual.

A reflexão espiritual, distanciada das distrações mundanas, é uma integração do eu com a finalidade de descobrirmos como nos comunicar com Deus, sob a bandeira de Cristo.

Homenageando Inácio de Loyola, um pecador penitente que se tornou santo depois de passar por um redespertar espiritual completo e se render sinceramente a Deus, passando a ser um dos mais influentes líderes espirituais da história cristã, João de Deus deu à Casa de Dom Inácio o seu maior guerreiro espiritual.

Capítulo 18

Modalidades de tratamento não cirúrgico e regimes terapêuticos

Interessante, nenhuma das modalidades de tratamento não cirúrgico usadas na cura espiritual é utilizada no modelo biomédico tradicional. Marcado pela impessoalidade, o modelo clássico usa atualmente a prática de "manutenção da doença" (só suprime os sintomas, sem necessariamente curá-los) e, quando necessário, a prescrição de um regime terapêutico com medicamentos, que tende a ser de natureza mais supressora do que terapêutica.

Agentes de cura espirituais, caracterizados pelo alto grau de pessoalidade, acreditam que a única maneira de levar o paciente à cura integral é ativar a alma dele, o que possibilita o desencadeamento de importantes processos espirituais, emocionais, mentais e fisiológicos. O modelo espiritual pode incluir uma terapia com medicamentos naturais capazes de tratar a causa da doença (não apenas suprimir sintomas) e assim desencadear a capacidade de autocura, favorecendo ao mesmo tempo um tratamento de *prevenção* que envolve mais do que simplesmente uma mudança na alimentação, exercícios e a eliminação de vícios e hábitos prejudiciais. Esse modelo engloba um tratamento preventivo, que inclui a modificação do código de ética e da conduta moral.

A ativação da alma é feita diagnosticando-se a enfermidade na consulta espiritual, na qual o médium de cura estuda a estrutura eletromagnética do paciente — a aura, os chakras, o perispírito, a mente, a alma e o corpo — e por fim detecta qualquer desequilíbrio energético e espiritual. Curadores, como João de Deus, podem ver além do corpo físico do paciente, ou seja, enxergam a alma dele, e ter um vislumbre das suas encarnações passadas, percebendo se a doença foi provocada por desequilíbrios espirituais da vida presente ou é kármica (de existências passadas). (Que não haja mal-entendidos: nem todas as doenças ou situações de sofrimento indicam que a pessoa tem um karma ruim que precise ser resgatado. Às vezes, problemas diferentes são disfarçados, para levar o paciente a um redespertar espiritual, a estudos mais avançados ou a mais experiências e conhecimentos, que também contribuiriam com o seu processo evolucionário.)

Agentes de cura espirituais, caracterizados pelo alto grau de pessoalidade, acreditam que a única maneira de levar o paciente à cura integral é ativar a alma dele.

Na Casa de Dom Inácio, durante as consultas espirituais o curador João de Deus examina as condições espirituais dos pacientes e identifica a fonte de seus males. Em vez de usar equipamentos de diagnósticos ou tecnologia biomédica para diagnosticar doenças e tratar o paciente fisicamente, João faz um exame espiritual e recomenda um tratamento que não só alivia os sintomas físicos, mas atinge a causa do problema.

Dependendo do caso, os agentes de cura também podem recomendar que o paciente procure um tratamento biomédico convencional. A cura espiritual pode complementar outros tratamentos, em vez de ser uma fonte alternativa, como no caso da medicina alternativa.

A revitalização do sistema energético do paciente pode ser o primeiro passo para o processo de cura. Se, durante a consulta, João identificar um desequilíbrio ou debilidade na aura ou no sistema energético no paciente, ele, ou a entidade incorporada, pode prescrever um tratamento na cama de cristal ou pedir que o paciente sente-se na “corrente” e medite. Há casos também em que ele recomenda uma intervenção cirúrgica (visível ou invisível). Esse tratamento será descrito no próximo capítulo.

O tratamento na cama de cristal requer que o paciente deite-se de costas numa cama, para receber a energia de sete cristais de quartzo iluminados que ficam enfileirados sobre ela. Os cristais ficam alinhados com os sete chakras, ou centros de energia, do paciente, que recebe o banho de energia celestial dos cristais enquanto ouve uma música relaxante. No final da sessão na cama de cristal, a energia do paciente está equilibrada e revitalizada. Com a sua estrutura eletromagnética em equilíbrio, o perispírito do paciente é ajustado e entra em sintonia com a comunicação espiritual. Depois do tratamento, os canais extrassensoriais do paciente ficam desobstruídos e o fluxo de energia entre ele e o cosmos transcorre livremente.

Depois dessa preparação, o paciente está pronto para um tratamento intensivo, que inclui uma instrução básica que propõe um novo tipo de aprendizagem com o potencial de atingir as profundezas da alma do paciente e induzir mudanças e transformações. Esse tipo de instrução não é transmitido necessariamente entre as paredes de uma instituição ou sala de aula, nem se encontra em nenhum curso que já exista; trata-se de um processo que respeita o ritmo, a vontade e a motivação da pessoa para aprender.

A instrução da alma envolve o despertar da consciência humana para valores como a bondade, o altruísmo e a solidariedade. Ela ajuda a desenvolver atributos humanos positivos, que já foram semeados no coração da pessoa, mas por motivos variados foram ignorados ou esquecidos, gerando uma falta de fibra moral ou preguiça, como diria Santo Inácio.

Para tratar essa falta de fibra moral ou preguiça espiritual, o paciente precisa aprender a transcender o "eu" e o "meu" e atingir o "nós" e o "nosso" ou o "deles". Assim como o corpo físico precisa de exercícios físicos, a alma fraca também requer exercícios de disciplina moral. A verdadeira instrução da alma permite que o indivíduo pense de maneira crítica e aprecie a importância e o significado da existência humana, levando-o a viver com dignidade, abundância e propósito, independentemente da sua posição social.

A fé tanto é humana quanto divina. Ela pode ser usada para satisfazer necessidades mundanas ou aspirações espirituais. É a decisão de colocar o livre-arbítrio a serviço da força e da inspiração divinas que muitas vezes resulta no que percebemos como milagres, que nada mais são, na realidade, que o desenvolvimento de um dom humano comum a todos. Por meio da fé, a nossa jornada humana de exploração, podemos realizar milagres de amor abnegado e devoção. A fé é o instrumento mais poderoso para corrigir impulsos negativos da alma, pois ela tem o incrível poder de liberar a nossa energia de cura interior.

Os efeitos positivos e definitivos da oração são também revelados nas salas da corrente da Casa de Dom Inácio. O único pré-requisito para entrar nessas salas é a receptividade ao amor e a disponibilidade de dar antes de receber a graça de Deus. As salas ficam repletas de pacientes em profunda meditação e prece (inclusive os que já não têm mais esperanças de conseguir resultados com a medicina convencional), onde recebem inspiração divina, energia e cura. Essas salas são um lugar em que as emoções são sentidas no fundo da alma, como se estivéssemos na presença de Deus.

Josie RavenWing descreveu muito bem, em seu *The Book of Miracles: The Healing Work of João de Deus* (2002), a sensação que se tem nas salas da corrente: "Em segundos, senti uma onda indescritível de energia passar por mim, algo que transmitia tanto amor que irrompi em lágrimas. A onda era cálida, quase quente, como uma chama passando através do meu corpo e queimando tudo o que não era amor. Tentei conter os soluços altos para não perturbar os outros, mas senti como se estivesse derretendo completamente nesse Amor" (RavenWing, 2002, pp. 25-26). Essas palavras são o mais perto que se pode chegar do caráter sagrado da experiência de cura da Casa de Dom Inácio.

Para tratar essa falta de fibra moral ou preguiça espiritual, o paciente precisa aprender a transcender o "eu" e o "meu" e atingir o "nós" e o "nosso" ou o "deles".

Além do trabalho com o sistema energético, João geralmente prescreve aos pacientes um remédio fitoterápico que requer algumas restrições alimentares. Embora a entidade que prescreve o remédio abençoe a prescrição com propriedades espirituais únicas e especiais para cada paciente, a base fitoterápica de todos os remédios é o maracujá. O mais interessante é que essa

A importância de manter a fé, a esperança e o amor, para proteger a alma de ferir ou se destruir, é um ensinamento de muitas tradições espirituais do mundo.

erva usada no tratamento dos pacientes também foi uma inspiração divina.

As cápsulas de maracujá têm um componente único: "O poder de cura da medicina espiritual fitoterápica está na sua capacidade inigualável de evocar uma sensação de bem-estar na mente, no corpo e no espírito. Essa qualidade deriva da afinidade natural que existe entre a energia da planta e a nossa" (Harvey & Cochrane, 1999, p. 26). "A medicina espiritual fitoterápica age como um catalisador para o reequilíbrio do corpo espiritual. Isso porque cada planta em particular tem uma forma característica de energia espiritual que ressoa com a nossa força vital" (Harvey & Cochrane, 1999, p. 27). Embora o princípio ativo seja o mesmo para todos os pacientes, o maracujá, cada prescrição recebe uma bênção espiritual específica para tratar o problema do paciente. Segundo Harvey & Cochrane, a *passiflora* (maracujá) provou ser muito mais do que um simples remédio fitoterápico.

"Eu sou a flor da alma que contém a energia da consciência divina. Ajudo na evolução da humanidade." Essa flor é mais conhecida pelas suas propriedades calmantes, mas o seu espírito inspira um sentimento mais etérico do divino. Ela está estreitamente relacionada a Jesus Cristo — "Os conquistadores espanhóis comparavam o desabrochar dessa belíssima flor com a Paixão de Cristo. Seus padrões intricados representavam os cinco instrumento da crucificação de Cristo: o martelo, as lanças, os pregos, as coroas de espinhos e o pilar onde ele recebeu chibatadas" (Harvey & Cochrane, 1999, p. 155). Pode-se ver claramente que o espírito dessa flor espelha a divindade personificada por Jesus. "A sintonização com ela evoca um senso de compaixão, altruísmo e amor incondicional [...] O maracujá também abre os chakras do coração e da garganta para níveis mais espirituais ou superiores de consciência" (Harvey & Cochrane, 1999, p. 155). Além disso, a flor de maracujá é roxa, a mesma cor que simboliza a Paixão de Cristo.

Como eu mesma já tomei esse remédio, posso acrescentar que essa prescrição fitoterápica é como nenhuma outra, pois tem propriedades de cura inigualáveis. Em mim, particularmente, ela tem a capacidade de ampliar o meu amor e a minha compaixão pelas outras pessoas, diferentemente de qualquer outro produto à base de maracujá que eu tenha tomado. Fiquei muito consciente disso enquanto estava tomando a medicação. O meu amor por todas as pessoas se expandiu e a compaixão que senti, especialmente pelos moradores de rua, era inexplicável. Houve ocasiões em que eu irrompia em lágrimas ao presenciar as tristes condições em que eles vivem. Sem dúvida, esse remédio fitoterápico me permitiu vivenciar um nível elevado de consciência espiritual, sintonizando-me com o meu eu superior.

Além das cápsulas de maracujá, o plano de tratamento dos pacientes engloba a hidroterapia (que inclui banhos e o consumo de água fluidificada). A água é importante para purificar tanto o corpo espiritual quanto o físico, pois é um ótimo condutor de energia eletromagnética. Durante uma sessão de cura na Casa de Dom Inácio, é costume os pacientes beberem muita água fluidificada durante a visita. E são estimulados a continuar ingerindo essa água depois de voltar para casa. Muitos viajam com vários galões de água ao voltar para os seus países de origem. João, quando está incorporado, transforma água comum em *água* fluidificada, com as energias de cura que transmite.

Para aqueles que não estão familiarizados com a água fluidificada, esclareço que se trata de uma água que, por meio da bênção ou meditação do médium de cura, transformou-se num bálsamo medicinal espiritual graças à irradiação das melhores energias do médium.

A água fluidificada é também um costume no Templo da Boa Vontade, em Brasília. A Legião da Boa Vontade, no volume um de sua publicação *Spiritualistic Guidelines of The World LGW* (1989), de autoria de José de Paiva Netto, observa: "Jesus é o pastor do rebanho ecumênico, de uma verdadeira fraternidade universal, liderada por Jesus e dirigida pela Legião da Boa Vontade. Muitos governos de todo o mundo, assim como muitos líderes religiosos, têm honrado este templo ecumênico exemplar com a sua presença".

A força espiritual da oração pode ser mais bem entendida por meio da explicação do dr. Masaru Emoto, em seu livro *The Hidden Messages in*

Water[*]. Nesse livro, ele demonstra a consciência espiritual da água que foi energizada com o poder de cura do amor e da gratidão. Emoto, um cientista japonês, fez muitos progressos no campo de pesquisa da consciência espiritual, descobrindo que as moléculas da água são afetadas pelos pensamentos, palavras e sentimentos humanos. Ele fotografou as formações cristalinas do gelo, produzidas por diferentes palavras e formas-pensamento. Quando impregnava a água com as palavras como "amor e gratidão", essa água formava lindos cristais de gelo. Enquanto a água exposta a afirmações negativas, como "mate-o", produzia cristais de gelo feios e distorcidos, bem diferentes da água fluidificada com pensamentos ou frases positivas. O trabalho desse cientista é um instrumento irrefutável para abrir os olhos de pessoas céticas e descrentes.

A cachoeira natural que fica a alguns minutos da Casa de Dom Inácio oferece outro tipo de hidroterapia. Para pacientes aos quais João, incorporado, prescreve esse tratamento, a cachoeira é uma outra maneira de conexão com a natureza.

Espera-se que a visita à cachoeira seja um momento sagrado em comunhão com a natureza e com o mundo espiritual, e não um simples passeio recreativo ou refúgio romântico. A Casa tem suas próprias regras e aconselha-se que os visitantes se familiarizem com elas antes de visitar esse lugar da natureza, maravilhoso e sobrenatural.

Além da hidroterapia e das cápsulas de maracujá, o paciente pode precisar obedecer a algumas restrições alimentares, principalmente enquanto estiver tomando o remédio prescrito. Recomenda-se aos pacientes que se abstenham de carne de porco, pimenta (comida muito temperada) e bebidas alcoólicas enquanto estiverem tomando as cápsulas de maracujá. Essas restrições, explicam os voluntários da Casa, ajudam o corpo físico durante o processo de recuperação.

A disposição para nos abrirmos para mudanças é crucial durante o processo de cura integral. Embora as enfermidades sociais sejam consideradas determinantes não fisiológicos da saúde, eles exercem um efeito direto

---

* *Hado — Mensagens Ocultas da Água*, Editora Cultrix, SP, 2006.

sobre ela. Muitas pessoas cuja alimentação é excessiva ou insuficiente agem dessa maneira para compensar estresses emocionais, éticos e espirituais em suas vidas.

O hábito de comer em excesso ou de modo insuficiente (muitas vezes associado ao estresse crônico), a privação do sono (que enfraquece os linfócitos), o estresse social (que afeta o sistema imunológico e consequentemente a morbidez e a mortalidade), o abuso de substâncias químicas (que não só tem um efeito extremamente adverso sobre a saúde, mas também sobre a economia) e o tabagismo (um importante fator de risco em doenças cardiovasculares e câncer do pulmão) só podem ser curados quando o paciente está efetivamente buscando um caminho para ativar a sua recuperação emocional, espiritual e física.

A cura, portanto, requer um papel muito mais ativo por parte do paciente. Embora ela ocorra quando a progressão física da doença é controlada, caso o paciente não lide com o estresse emocional e psicológico que a provocaram, apenas os sintomas são aliviados e existe uma grande possibilidade de a doença voltar a se manifestar. O paciente cuja recuperação é temporária, pelo fato de não ter lidado plenamente com a causa emocional ou espiritual da sua doença, pode nunca ter uma saúde perfeita.

A recuperação emocional e espiritual só é bem-sucedida quando o paciente tem um desejo verdadeiro de abandonar limitações e padrões negativos, e reativar o contato com a sua alma e emoções, equilibrando o seu sistema energético.

Ao identificar as suas emoções negativas, a sua maneira de pensar e agir pode ajudá-lo a fazer uma ligação entre o seu sistema energético debilitado e os seus sintomas físicos. A instrução e a purificação da alma então se tornam imprescindíveis para o tratamento do paciente. E a cura espiritual leva consequentemente à saúde física.

A meditação, a prece e as obras de caridade são essenciais para o processo de cura, pois são indispensáveis para o equilíbrio espiritual. Sem ativar esse importante poder interior de cura, a doença continua a abater o corpo físico.

A disposição para nos abrirmos para mudanças é crucial durante o processo de cura integral.

De acordo com o dr. Larry Dossey, autor de *Healing Words** (1993), do ponto de vista médico, a fé e a oração funcionam como uma medicina preventiva, capaz de evitar o pecado e o fracasso da cura. Seu trabalho de pesquisa contribuiu com o número crescente de cursos, nas escolas de medicina dos Estados Unidos, sobre a importância da espiritualidade na saúde.

A fé e a oração nos servem de guia para uma vida ética, ensinando-nos a ter disciplina, autocontrole e um comportamento emocional apropriado. Juntos, eles conferem uma coragem que ajuda o paciente a se tornar agente da sua transformação pessoal. A decisão de se responsabilizar por si mesmo ajuda o indivíduo a encontrar o seu verdadeiro propósito na vida.

A importância de manter a fé, a esperança e o amor, para proteger a alma de ferir ou se destruir, é um ensinamento de muitas tradições espirituais do mundo.

Como o medo é o oposto da fé, ele diminui a confiança humana na orientação divina. Só a fé e o amor podem evitar que o mal invada a mente, a alma e o corpo. Se mantiver constantemente uma armadura de amor e fé (por meio da prece constante), uma alma vigilante e disciplinada não pode sofrer nenhuma perturbação. Se a alma superou o obstáculo que representa o medo, isso é porque ela aprendeu a amar, a perdoar, a abrir mão, para expressar criativamente um novo eu transformado.

A mente, quando está vibrando numa frequência elevada, bloqueia a aproximação de espíritos menos evoluídos e fica mais receptiva às influências dos espíritos superiores, que afetam positivamente a inteligência humana e o seu comportamento emocional. Nesse caso existe um intercâmbio entre os seres humanos e as entidades espirituais: seres humanos influenciando o auxílio espiritual (por meio da prece e das vibrações/frequências mentais) e espíritos altamente evoluídos influenciando igualmente os seres humanos (por meio da intuição, esclarecendo e orientando), trabalhando juntos na realização de bons atos. No mesmo sentido, se o mundo espiritual sente um tom vibracional composto de pensamentos ou sentimentos negativos, os espíritos menos evoluídos podem influenciar negativamente

* *As Palavras Curam: O Poder da Prece e da Prática da Medicina*, Editora Cultrix, SP, 1993 (fora de catálogo).

o indivíduo, levando-o a agir de modo errado ou a apresentar uma perturbação da mente, como a obsessão ou a subjugação mental.

> *Embora a cura ocorra quando a progressão física da doença é controlada, caso o paciente não lide com o estresse emocional e psicológico que a provocaram, só os sintomas são aliviados e existe uma grande possibilidade de que a doença volte a se manifestar.*

Existem cada vez mais provas da existência dessas vibrações energéticas. Amit Goswani, físico quântico de renome mundial, autor de *Physics of the Soul* [A física da alma] (2001), está demonstrando que a presença de campos sutis na estrutura eletromagnética humana nos permite receber as vibrações energéticas das orações. Ele também usa conceitos da física quântica para fundamentar as suas teorias metafísicas sobre a reencarnação e a imortalidade, além de ter definido a consciência como uma realidade primordial.

A fé, a prece e a meditação são as terapias mais prescritas nesses santuários de cura. É nas salas da corrente que essa tão eficiente modalidade de cura permite um intercâmbio de cura e inspiração divina. A intensidade de inspiração divina que existe nesses santuários ajuda a ativar as quatro sementes da vontade, da fé, do amor e da assistência ao próximo. Quando essas sementes são cultivadas na humildade, na sabedoria da imparcialidade, na impermanência e na profundidade da alma, os resultados podem ser incríveis, dando origem ao que muitos chamam de milagre.

O amor fraternal e a solidariedade são a conquista máxima de um ser humano, pois se trata do amor universal em ação pelo serviço a Deus e aos semelhantes. Isso tem grandes implicações para a cura de um paciente.

A caridade, o ato mais genuíno de perfeito amor, repara uma infinidade de pecados. Se por indiferença nos recusamos a realizar atos de amor, eles assumirão a forma de transgressões humanas, afetando negativamente as almas e o karma individual. Quando somos bondosos com todos, especialmente com aqueles que nos feriram ou prejudicaram, muitos dos nossos pecados e transgressões são perdoados.

Outra grande virtude que compensa as nossas transgressões é a humildade. Para crescer sem querer dominar, para produzir sem querer possuir e para agir sem cometer abusos, a pessoa não pode ter pretensões na vida. A vida humana precisa ter metas e objetivos, sem que a nuvem da pretensão a tolde. Quando a pessoa transcende o "eu" e o "meu", abrindo mão de todas as suas pretensões, fica mais fácil para ela ver e sentir o "nós" e o "nosso".

Por fim, a cura espiritual envolve toda uma atitude nova, com muito mais significado e profundidade do que aquela a que a pessoa estava acostumada. Isso significa transcender a realidade em que ela vive e divisar uma existência verdadeiramente cósmica e norteada por um propósito maior, até que possa apreender o quadro maior de toda a vida.

Essa é justamente a experiência pela qual passaram os pacientes cuja história servirá de testemunho dos milagres que podem ocorrer na Casa de Dom Inácio. Aos 29 anos, Matthew Ireland, de Guilford, Vermont (EUA), foi diagnosticado com um tumor cerebral inoperável, no estágio IV. Depois de dois anos de tratamento médico convencional, com radioterapia e quimioterapia, os médicos não lhe davam mais esperanças. Ele resolveu, então, seguir os conselhos de alguns vizinhos e visitar a Casa de Dom Inácio. Depois da consulta, o médium João de Deus disse-lhe para se sentar na sala da corrente, e foi isso o que ele fez nos meses seguintes. Numa entrevista a Matt Goulding, da revista *Men's Health*, Matthew comenta: "Eu nem era um sujeito espiritualista, só não fui embora porque não tinha nada a perder" (Goulding, 2007).

Depois que o risco de morte não era mais tão iminente, Matthew voltou para os Estados Unidos, onde fez uma ressonância magnética. O tumor tinha diminuído! A família e os amigos dele colocaram-no no primeiro voo para o Brasil. Dessa vez Matthew foi diretamente à sala da corrente, onde tinha meditado por horas da primeira vez. Um dia, enquanto estava em profunda meditação, sentiu uma mão na sua cabeça. Abriu os olhos e viu João de Deus em pé, na frente dele. "Você está curado", ele disse. João então aconselhou Matthew a voltar ao hospital e fazer novos exames. Ele fez imediatamente outra ressonância, como João recomendara enquanto estava incorporado. Procurou um grande hospital de Goiânia e fez o que seria a sua última ressonância magnética. O tumor no cérebro tinha sumido! Tudo o que restava era uma pequena cicatriz. Matthew recebeu a única prova de que precisava: a sua própria vida! O que mais ele poderia pedir?

Em outra entrevista, John Quiñones (correspondente da ABC que visitou a Casa em 2005 e entrevistou Matthew) consultou o dr. Oz, em busca de uma segunda opinião sobre a melhora notável de Matthew. O médico reconheceu que Matthew havia recebido um tratamento médico eficiente na Casa, ao dizer: "Algo deteve um processo que normalmente é muito agressivo" (*Is John of God*, 2005). Ele se questionou se haveria algo no ambiente da Casa que poderia ter contribuído para a cura. E acrescentou: "Eu gostaria de ter o tipo de música que o leva a meditar, o tipo de treinamento em *biofeedback* e em meditação que lhe permite fazer o que é preciso para acionar o mecanismo de cura do próprio corpo". "Essa pode ser a maior lição de todas nesse caso" (*Is John of God*, 2005). Tenho de concordar com o dr. Oz.

A história de Matthew é, sem dúvida nenhuma, um dos milagres que ocorreram pela infinita graça de Deus. Na história a seguir, a graça de Deus também abençoou uma brasileira, que testemunhou outro milagre de cura.

Aos 38 anos, Tânia Maria Afonso, uma católica praticante que dez anos antes descobrira os ensinamentos de Kardec por meio do médium Chico Xavier, sofreu um acidente de carro que mudou a sua vida para sempre. Antes de perder o controle do carro, ela ouviu uma voz avisando-a para diminuir a velocidade. A voz lhe disse que ela estava prestes a se envolver num acidente no qual sofreria apenas ferimentos leves. Tânia só teve tempo para reduzir a velocidade para 150 km/h, segundos depois o pneu dianteiro estourou. Ela ficou com medo de bater em outro carro e matar ou ferir pessoas inocentes, então invocou a proteção de Deus e de todos os anjos. Na tentativa de evitar a colisão com a encosta de uma montanha, ela jogou o carro num riacho à beira da estrada.

Quando o carro parou, Tânia sentiu a tração do cinto de segurança e a sua coluna partir-se ao meio. Pensou, se estou morta, por que ainda sinto tanta dor? Ela abriu a porta do carro e sentiu água até os joelhos, então percebeu que ainda estava viva. Tentou localizar o seu celular, depois rezou a Deus, pedindo ajuda. Ela podia ouvir os carros passando na estrada, mais acima, mas ninguém podia vê-la. Confortada pela fragrância das flores, ela rezou e esperou pacientemente. Quarenta minutos depois, dois homens a resgataram. Posteriormente, um dos homens lhe contou que uma voz os havia levado até ela.

Eles estavam a aproximadamente cinco quilômetros, quando uma voz disse a um dos homens para voltar e resgatar uma mulher que estava dentro do rio, sofrendo e precisando de ajuda. Eles voltaram, mas não viram nada. Mas a voz insistiu. Então eles voltaram outra vez e olharam embaixo da ponte, mas não conseguiram encontrá-la. Por causa da persistência da voz, eles retrocederam mais um pouco e a encontraram um pouco depois. Tânia será eternamente grata pela persistência do bom espírito e pelo esforço dos homens que a resgataram.

Tânia foi levada para um grande hospital metropolitano em Goiânia, onde foi internada. Os médicos descobriram que ela tinha uma fratura do tipo explosão na vértebra T12, além de fraturas na T10 e na T11. Nessa noite, enquanto estava no hospital, ela recebeu a visita do espírito benevolente do dr. Adolfo Bezerra de Menezes, que realizou uma cirurgia espiritual durante toda a noite, colocando um aparelho espiritual na sua vértebra. Depois ele disse que ela sairia do hospital andando com as próprias pernas. Na manhã seguinte, Tânia passou por uma intervenção cirúrgica, depois de ser avisada pelos médicos de que talvez nunca mais andasse. Eles lhe deram 2% de chance de recuperar o movimento das pernas. Para a surpresa dos médicos, cinco dias depois, ela deixou o hospital andando com a ajuda de muletas, como o dr. Bezerra de Menezes dissera.

A recuperação de Tânia continuou tão bem pelos três meses seguintes que ela não precisou mais das muletas. Então, um dia, sofreu uma queda numa escada e voltou a sentir muitas dores nas costas. Os médicos disseram que a placa e os parafusos que ela tinha na coluna tinham se soltado e ela precisaria passar por outra cirurgia para recolocá-los no lugar. Nessa época, eles também descobriram que ela tinha duas hérnias de disco. O problema dessa vez era que Tânia precisava levantar uma soma elevada para custear a cirurgia, algo para o qual nem ela nem a família estavam preparadas. Ela buscou, então, a ajuda de um hospital do governo, mas a fila de espera era longa.

Tânia passou por um grande sofrimento e teve que ficar de cama a maior parte do tempo. Assim se passaram três meses. Então, uma noite, quando ela estava na cama, um homem de pele clara e olhos azuis apareceu diante dela e lhe disse, “Não tenha medo. Eu vim ajudar você”. Ele voltou em várias ocasiões, proporcionando-lhe a visão de um lugar bonito, com jardins e paisagens tranquilas e luxuriantes. O lugar tinha paredes azuis e brancas e muitas pessoas falavam diferentes idiomas e usavam roupas brancas. Ela achou que o hospital era em outro país e perguntou a Deus como ela poderia chegar lá se não tinha recursos financeiros. De qualquer maneira, ela tinha fé. Deus sabia o que estava fazendo. Tânia confiou que ele cuidaria de todos os detalhes.

Tânia contou aos amigos sobre as visões que tivera do hospital. Então, um dia, uma das vizinhas da mãe dela contou sobre uma sobrinha que estava no leito de morte e, depois de sonhar com o famoso médium João de Deus, recuperou-se milagrosamente. Essa moça agora morava em Abadiânia, a aproximadamente três horas e meia da cidade onde Tânia morava. Tânia também soube que muitos estrangeiros frequentavam a Casa de Dom Inácio. A mãe a lembrou de que, em suas visões, ela via muitas pessoas falando idiomas estrangeiros e sugeriu que, talvez, aquele fosse o lugar onde ela seria curada. Um mês depois, um tio de Tânia levou-a ao abençoado hospital espiritual em Abadiânia.

Ali, Tânia se hospedou durante quinze dias na casa da sobrinha da vizinha da mãe. Em sua primeira consulta, a entidade dr. Valdivino disse-lhe que estava esperando por ela. Segundo ele, a cura de Tânia ocorreria por meio do seu trabalho como médium na Casa. Ele pediu para que ela se sentasse na sala da corrente. Ali, enquanto estava em profunda meditação, ela sentiu um movimento na sua coluna vertebral e viu um líquido verde penetrando dentro dela. Nos seis meses seguintes, ela ficou hospedada na casa de uma nova família de amigos, enquanto servia na Casa e era tratada. Ela ainda usava muletas, das quais só se afastava na hora do banho e de dormir. Segundo lhe dissera a entidade, quando o líquido verde claro assumisse um tom dourado, ela não precisaria mais das muletas. Duas semanas depois desse aviso, um amigo americano que ela conheceu por meio de amigos comuns disse que tinha visto uma luz dourada irradiando-se na direção dela. No dia seguinte, enquanto estava sentada na sala da corrente, ela viu o líquido dourado sendo aplicado durante a sua meditação. Isso continuou durante todos os dias da semana seguinte. Então, na semana seguinte, no dia 24 de junho, dia da festa de São João Batista, ela sentiu que não precisava mais das muletas que usara durante todos aqueles meses. Ficou tão extasiada que dançou! O que o dr. Valdivino lhe dissera era verdade. O seu trabalho como médium lhe traria a cura. Ela seria eternamente grata a Deus, a Jesus, às entidades, ao médium João, por terem-na ajudado a recuperar a saúde. Ela continuaria para sempre humilde e continuaria rezando pelas almas sofredoras, especialmente daqueles que sofriam mais do que ela um dia sofreu. Rezou para que o sofrimento deles fosse abrandado e para que as suas enfermidades fossem substituídas pela saúde perfeita. Ela estava feliz por servir ao Senhor e a Jesus Cristo. Um dia, as entidades lhe aconselharam a se preparar para ajudar o médium João, pois no futuro ela estaria pronta para servir a Jesus em outras paragens. Ela começou a ajudar as entidades e o médium com os seus trabalhos de cura.

Em dezembro de 2005, Tânia conheceu Greg Stewart, um americano, e se apaixonou por ele. Hoje estão casados e moram em Sacramento, na Califórnia. Tânia continua a fazer o seu trabalho pelas almas que sofrem. Ela quer que todos saibam: "Eu gostaria de expressar desta vez a minha eterna gratidão pelo meu Senhor, Jesus, e aos espíritos incansáveis de Cristo, que trabalham com grande amor para trazer paz e luz a todas as almas que sofrem... Acreditem, irmãos e irmãs queridas que leem estas páginas abençoadas escritas pela minha querida irmã, que o amor de Deus está em todo lugar, que somos os Seus filhos de verdade e que Ele nos ama incondicional e eternamente. Por favor, entendam que, no momento em que deixarmos de lutar contra o amor de Deus e permitimos que a Sua vontade seja feita em nossa vida, vivendo um dia de cada vez, amando uns aos outros, aceitando e respeitando uns aos outros assim como somos, com todas as nossas imperfeições e qualidades, viveremos todos uma vida melhor e mais feliz, pois esse é o único caminho para aprendermos a amar, aceitar e respeitar toda a humanidade como ela é, com todas as suas imperfeições e todas as suas virtudes".

Capítulo 19

Cirurgias espirituais

As cirurgias espirituais são um procedimento muito comum no Brasil. Tanto a visível quanto a invisível (também chamadas cirurgias psíquicas, mediúnicas, em transe ou astrais) transformaram-se num dos procedimentos de cura mais interessantes e polêmicos dos dias de hoje. A cirurgia psíquica consiste numa técnica terapêutica não física que remove a energia negativa arraigada que quase sempre é a causa de muitas doenças do corpo físico. Ela também tem potencial para remover ou regenerar patologias. Esse tipo de cirurgia no Brasil difere da realizada nas Filipinas, onde se fazem incisões sem instrumentos, só com as mãos. No Brasil, a cirurgia invisível (psíquica) é realizada sem que o médium precise tocar o paciente fisicamente. Ela é realizada com passes espirituais, com o objetivo de harmonizar a energia em desequilíbrio do paciente.

O passe espiritual, como explicado por Edgard Armond em seu livro *Passes e Radiações* (1950) é uma emanação não material das mãos em movimento, conduzida por espíritos desencarnados trabalhando por meio de um médium e afetando diretamente o perispírito do paciente. Partindo de espíritos superiores, os fluidos que são transmitidos ao agente de cura durante o passe espiritual têm um poder de cura maior do que aqueles transmitidos durante os passes magnéticos (que não têm a participação de um ser espiritual, apenas de um ser físico encarnado). Embora o passe espiritual seja magnético por natureza, acredita-se que o fluido transmitido é definitivamente mais revigorante do que o do passe magnético. Além disso, os passes magnéticos tratam doenças físicas com um remédio físico, eliminando primeiro a energia negativa do corpo físico, enquanto os passes espirituais tratam doenças espirituais que requerem cura espiritual.

Os espíritas brasileiros acreditam que a energia de cura é uma energia que está ao redor de todos nós e em todo o universo. Está à disposição de todos, para ser utilizada pelo bem maior. Médiuns com o dom da cura aprendem a captar essa energia e a transmiti-la com a ajuda de espíritos benevolentes.

Tanto na cirurgia invisível quanto na visível, a energia do médium afeta o sistema energético do paciente (o campo áurico) e o seu corpo físico, atingindo os órgãos e sistemas do corpo físico. No momento da cirurgia, é importante que ninguém invada o espaço áurico entre o médium e o paciente.

Na cirurgia espiritual invisível, nenhum instrumento físico é usado, pois não há necessidade de incisão física. Como acontece na Casa de Dom Inácio, todos os pacientes que precisam passar pela cirurgia invisível podem ficar no mesmo espaço físico (na mesma sala) durante um determinado tempo. João, incorporado, transita pela sala abençoando e curando a todos, em nome de Jesus Cristo, enquanto as pessoas sentadas na corrente estão em profunda meditação. Além disso, os instrumentos usados na cirurgia invisível não têm a densidade física suficiente para que uma pessoa com os sentidos normais possa vê-los ou senti-los. Mesmo assim, os pacientes relatam sentir movimentos dentro do seu campo áurico e a manipulação de matérias sob a pele, enquanto a cirurgia está em curso.

Tanto na cirurgia visível quanto na invisível, acredita-se que os fluidos irradiados penetram no corpo espiritual do agente de cura, que os transmite ao corpo áurico, à pele, aos tecidos ou aos órgãos do paciente. Uma vez atingido o nível celular, o agente de cura bombardeia os átomos do paciente, elevando a sua vibração e irradiando mais vitalidade para as células. O agente de cura, com a ajuda das entidades espirituais, extirpa tumores, regenera atrofias, melhora a circulação, reduz a estenose (condição patológica caracterizada pela constrição de uma passagem ou abertura) e regenera órgãos lesados.

Uma vez atingido o nível celular, o agente de cura bombardeia os átomos do paciente, elevando a sua vibração e irradiando mais vitalidade para as células.

Tratando o perispírito do paciente, o médium altera a constituição deste, restabelecendo a organização natural do seu corpo energético. Esse realinhamento do perispírito com o corpo físico restabelece a harmonia necessária à recuperação do paciente. Podemos, portanto, considerar os passes e cirurgias espirituais como a Lei Natural do Equilíbrio em ação, durante o intercâmbio entre fluidos corporais básicos. Durante o contato entre o médium de cura e o paciente, o médium se posiciona de maneira que o universo vibre em harmonia com ele e com o seu paciente. A energia de cura deve fluir do cosmos para o espírito benevolente e deste para o agente de cura, que a transmite então ao paciente com amor, compaixão e confiança no Criador.

Depois que a cirurgia visível ou invisível é concluída, e um órgão ou tecido é regenerado ou extirpado, o médium envia energia de cura para essa área específica, com o objetivo de regenerar esse órgão ou tecido afetado. Ao fazer isso, ele restabelece a sua função. As entidades espirituais canalizam energia e princípios espirituais que estimulem o processo de cura interno. É desse modo que a cura é realizada e a função do órgão, restabelecida, modificando-se o aspecto da doença.

O principal método de cura de João de Deus em seus primeiros anos de trabalho mediúnico eram as cirurgias físicas (visíveis, na carne). Ele continua a realizar esse tipo de cirurgia, por achar que ela serve para fortalecer a fé das pessoas em seu trabalho. As cirurgias físicas realizadas por João são feitas diante de um grupo de pacientes presentes na Casa. Os pacientes que passam pela cirurgia física com João incorporado ficam diante de uma plateia, com os olhos fechados, e são operados enquanto estão em meditação e os espíritos guiam as mãos do médium. As cirurgias físicas (visíveis) são realizadas em voluntários, que precisam ter de 18 a 52 anos e não podem estar sendo submetidos à radioterapia ou quimioterapia. Aos pacientes que não podem passar pela cirurgia visível, recomenda-se a cirurgia espiritual invisível, que produz os mesmos resultados. Contanto que a entidade esteja de acordo, o que nem sempre acontece, os voluntários às cirurgias podem solicitar que ela seja visível. A escolha do método utilizado (cirurgia visível ou invisível) depende do que é melhor para o paciente e fica a critério das entidades que João incorpora.

A maioria das cirurgias espirituais visíveis realizadas pelo médium João incorporado consiste: 1) na inserção e posteriormente na torção do fórceps na cavidade nasal do paciente; 2) na raspagem da córnea com uma pequena faca de cozinha; 3) na incisão da pele para remoção do problema. Os primeiros dois procedimentos têm um peso terapêutico maior. O primeiro estimula a glândula pituitária e a glândula endócrina.

Essas cirurgias visíveis e invisíveis, na maioria dos casos, não causam nenhum tipo de dor, apesar da falta de procedimentos de esterilização (química) e de anestesia (são utilizados anestesia e procedimentos estéreis "astrais"). A anestesia espiritual permite que o paciente fique de pé durante a cirurgia e, quando necessário, responda às perguntas que lhe são feitas, o que significa que ele não perde a consciência. Durante as cirurgias físicas, as incisões ou a remoção de tecidos quase não provocam hemorragias, o que demonstra que elas são procedimentos cirúrgicos únicos e não invasivos.

Embora ainda sejam realizadas cirurgias visíveis na Casa, o número de cirurgias invisíveis feitas por João e as entidades é maior. Os pacientes que passaram por essas cirurgias e pelas visíveis relatam sintomas pós-cirúrgicos nas semanas seguintes. As instruções pós-cirúgicas são muito semelhantes às dos procedimentos cirúrgicos alopáticos, que incluem atividade física limitada, abstinência sexual durante quarenta dias, entre outras coisas. É preciso respeitar um período de recuperação de 24 horas depois da cirurgia. Sempre que possível recomenda-se que o paciente permaneça no seu quarto de hotel. Tanto na cirurgia visível quanto na invisível, os raios X realizados após o procedimento revelaram suturas, indicando que o paciente de fato havia passado por uma intervenção cirúrgica.

As entidades espirituais canalizam energia e princípios espirituais que estimulem o processo de cura interno. É desse modo que a cura é realizada e a função do órgão, restabelecida, modificando-se o aspecto da doença.

A cirurgia espiritual e a cura talvez sejam mais bem compreendidas no contexto das leis e dos princípios naturais. Não importa qual seja o tipo de doença, acredita-se que ela tenha uma raiz energética dentro ou ao redor do órgão afetado, num dos chakras ou na aura. Esse mecanismo semimaterial é essencial para se compreender as intervenções visíveis e invisíveis.

Os procedimentos cirúrgicos tradicionais removem a "energia bloqueada" no nível físico — no tecido, nos órgãos ou em qualquer tipo de anomalia física gerada pelo processo patológico. A cirurgia física só afeta a área física do corpo. Por outro lado, as cirurgias espirituais visíveis e invisíveis agem diretamente sobre a *raiz* do problema, a sua causa primária. A remoção espiritual da energia bloqueada (realizada tanto na cirurgia visível quanto na invisível) é indolor, pois não requer uma incisão física (na cirurgia invisível) nem anestesia, risco ou possibilidade de causar dano.

> *A cirurgia física só afeta a área física do corpo. Por outro lado, as cirurgias espirituais visíveis e invisíveis agem diretamente sobre a* raiz *do problema, a sua causa primária.*

A cirurgia tradicional é importante na esfera física do corpo, mas a cirurgia espiritual transcende a arena terapêutica convencional, atingindo os "órgãos energéticos", os chakras, o perispírito e a aura (removendo energias bloqueadas, sentimentos negativos, miasmas energéticos [um tipo de parasita psíquico composto de energia densa e pesada]), que não são abrangidas pelas terapias convencionais e exigem uma abordagem transcendental para que sejam compreendidos integralmente. A cura, portanto, pode ser vista como uma sintonização com o amor e a energia divinos, os quais o médium de cura transmite aos seus pacientes, para equilibrar as suas energias físicas, emocionais e espirituais — algo que os médicos alopatas não são treinados para fazer.

É importante notar que, embora em 1975 a Comissão Federal do Comércio dos Estados Unidos tenha declarado a cirurgia psíquica nada mais do que uma fraude, um logro, uma encenação e, em 1990 a American Cancer Society tenha aconselhado cautela com relação a esse tipo de cirurgia, muitos enfermos continuam a procurar os médiuns de cura. Embora existam aqueles que busquem os seus cuidados, existem também aqueles que dedicam a vida inteira à tarefa de desmascarar todos os agentes psíquicos.

Embora existam charlatães, existem também aqueles que são autênticos. Embora o trabalho do cético e da academia seja, portanto, necessário para ajudar a sociedade a identificar os fraudulentos, isso não significa que todos os médiuns de cura sejam charlatães.

Os pacientes podem não entender os conceitos da medicina mediúnica, mas o fato de imaginarem que a doença que contraíram pode ter sido causada por uma mudança no seu eixo espiritual ajuda a protegê-los da luz ofuscante da realidade científica. Eles podem descobrir que acreditam quando um conhecido lhes conta uma história verídica de esperança. Isso pode amenizar-lhes o desespero e promover a cura.

A ideia de que os seres humanos são compostos de campos energéticos e que a energia de uma pessoa pode ser "equilibrada" ou "descongestionada" é revolucionária. Se e quando ela for comprovada, isso acarretará uma reviravolta no paradigma que rege a medicina há mais de um século. Alguns indivíduos estão começando a reconhecer que os estudos científicos não precisam ser estatisticamente significativos para provar ou deixar de provar alguma coisa. Para eles, a esperança e a vontade do Criador são o que realmente importa.

Para obter mais informações sobre as cirurgias espirituais e o trabalho da Casa de Dom Inácio, consulte o site voluntarioseamigos.org. Se está planejando viajar para Abadiânia, é recomendável primeiro entrar em contato com a Casa, para certificar-se de que João de Deus estará atendendo na data em questão. Existem vários guias da Casa que organizam excursões para esse santuário de cura ao longo do ano. Informe-se na Internet ou por telefone a respeito de excursões para a Casa de Dom Inácio saindo de sua cidade.

Parte Cinco

Mudança do modelo para incluir a saúde moral e social

Capítulo 20

A medicina humanista adota uma abordagem integrativa: por que modelos ultrapassados precisam mudar

O nosso atual sistema de saúde infelizmente ainda é moldado pelos padrões de doenças que predominavam na primeira metade do século XX. Desde o tratamento das condições agudas, começando pelas epidemias da última metade do século XIX, passando pelos traumas e doenças infecciosas da primeira metade do século XX até as doenças crônicas de 1950 até os dias de hoje, o modelo de tratamento de saúde evoluiu sem nem sequer modificar as suas intervenções terapêuticas.

Um sistema projetado originalmente para tratar episódios de doença individuais agudos e de curta duração, que são descontínuos por natureza, passou a ser utilizado também para tratar doenças crônicas (caracterizadas pela longa duração e continuidade), como se elas também fossem uma série de episódios agudos e estanques. Se a doença crônica continuar prevalecendo, como hoje prevalece, o modelo atual, hoje insustentável, exigirá atenção e modificações.

A doença crônica muitas vezes se inicia cedo na vida, muito antes de os sintomas surgirem ou receberem tratamento médico. Isso permite que a doença se instale muito antes de qualquer sintoma se evidenciar. Ao contrário das doenças agudas, as doenças crônicas costumam permanecer com o paciente para sempre. Isso significa que o modelo clássico de medicina não inclui modalidades de tratamento cuja meta seja a cura completa da doença, mas sim aquelas que visam tratar apenas os sintomas mais proeminentes ou as manifestações externas.

Intervenções intensivas breves, que possam efetivamente curar episódios de doenças agudas, não são capazes de propiciar um tratamento apropriado ou eficaz para a doença crônica. O caso do câncer demonstra que, nos Estados Unidos, por exemplo, a taxa de sobrevivência a essa doença depois do diagnóstico aumentou apenas ligeiramente nos últimos anos. Apesar das várias intervenções médicas e farmacêuticas e dos imensos recursos financeiros dirigidos para a pesquisa e tratamentos, as taxas de incidência não diminuíram de modo significativo. Como relatou o *Annual Report to the Nation on the Status of Cancer*, 1975-2004: "As taxas de morte por câncer diminuíram 2,1% por ano de 2002 a 2004, mas a taxa de incidência foi maior nos casos de câncer no estômago, no fígado, na coluna cervical, nos rins e na bexiga biliar" (SEER, 2007). As expectativas para o futuro não são as melhores, caso não haja uma mudança significativa no atual paradigma.

Obviamente, quando surge um conjunto de condições patológicas totalmente novo, isso requer uma gama completamente diferente de serviços e intervenções para assegurar um sistema de saúde apropriado e responsivo aos problemas de saúde que variam a cada época. Quando isso não ocorre, surge uma frustração ainda maior devido à complexidade, à burocracia e aos custos cada vez altos, exacerbados pelo aumento crescente das taxas de morbidez e mortalidade, como é evidente na crise da saúde pela qual passamos hoje.

Um relatório da Organização Mundial de Saúde (OMS) afirma que as dez principais causas de morte nos Estados Unidos são: 1) doenças cardíaca isquêmica; 2) doenças cerebrovasculares; 3) câncer nos pulmões; 4) doenças pulmonares obstrutivas crônicas; 5) mal de alzheimer e outras demências; 6) diabetes melito; 7) câncer no cólon e no reto; 8) infecções nas vias aéreas inferiores; 9) câncer de mama e 10) acidentes de trânsito (WHOSIS, US, 2002). Nos Estados Unidos, o câncer aparece três vezes na lista dos dez maiores causadores de morte (câncer de pulmão, cólon e mama, respectivamente). No Brasil, porém, o câncer não estava entre as dez maiores causas de morte nesse mesmo ano (WHOSIS, Brazil, 2002).

Segundo a Organização Mundial de Saúde, no Brasil o número de mortes relacionadas a condições neuropsiquiátricas também foi menor do que nos Estados Unidos. No Brasil, foram relatadas 23.829 mortes em 2002 (ou uma taxa de 13 a cada 100 mil pessoas), enquanto nos Estados Unidos foram relatadas 154.290 (ou 53 a cada 100 mil pessoas) (WHO Global InfoBase). Uma diferença significativa no número de mortes por doenças neuropsiquiátricas poderia ser o reflexo da abordagem holística adotada pelos espíritas brasileiros para lidar com os problemas de saúde mental.

O estado de saúde do povo norte-americano é uma evidência de que essa situação causa importantes repercussões. Um relatório publicado no *Journal of the American Medical Association* (JAMA), intitulado "Is US Health Really the Best in the World?" [A Saúde dos norte-americanos é de fato a melhor do mundo?] (2000), escrito pela dra. Barbara Starfield, da Escola de Higiene e Saúde Pública da Universidade Johns Hopkins, mostra que os erros médicos podem ser a terceira maior causa de morte nos Estados Unidos. Esse tipo de alerta vermelho, que aponta as imperfeições do nosso atual sistema de saúde, deveria estimular a medicina clássica a identificar a necessidade de uma mudança radical e buscar outros paradigmas que oferecessem resultados mais eficazes e menos dispendiosos.

Comparando as taxas de mortalidade do Brasil e dos Estados Unidos, especificamente com relação às mortes por neoplasias malignas, os relatórios da Organização Mundial de Saúde trazem as seguintes observações. As mortes causadas por neoplasias malignas nos Estados Unidos, de acordo com os relatórios de 2002, foram 558.643. A taxa de mortalidade foi de 191 indivíduos a cada 100 mil. No Brasil, foram 177.748 mortes causadas por neoplasias malignas, com uma taxa de 100 a cada 100 mil indivíduos. Contudo, a quantia gasta com saúde (*per capita*) nos Estados Unidos foi três vezes maior do que no Brasil (nos Estados Unidos gastaram-se 6.096 dólares, enquanto no Brasil foram gastos 1.520 dólares). Enquanto 0,19% da população americana morre de neoplasias malignas, apenas 0,1% da população brasileira falece da mesma causa. Constatamos uma diferença *preocupante* nas taxas de mortalidade — 0,18%, para ser mais exata. Tendo em mente que os Estados Unidos gastam três vezes mais dinheiro com recursos para reduzir o número de mortes relacionadas ao câncer, os resultados são uma evidência da necessidade de uma mudança radical na maneira como os tratamentos são direcionados (WHO Global Infobase, *Death's Caused by Malignant Neoplasms*, 2002).

Ao contrário das condições agudas, que podem ser curadas com um ou alguns tratamentos de curta duração, as doenças crônicas requerem um tratamento mais longo e métodos de prevenção, possíveis apenas quando o sistema de saúde tem, ele próprio, uma natureza contínua, preventiva e de longa duração. Um modelo que vise à saúde social e inclua uma forte ação preventiva ajudaria a promover grandes mudanças no conhecimento que cada pessoa tem das doenças, dos valores pessoais e das normas de comportamento.

Como observou o dr. James Hospedales, chefe da Unidade de Doenças Crônicas da Organização Pan-Americana de Saúde, não só o setor da saúde precisa se engajar na busca desse novo modelo, mas também a participação ativa dos setores de educação, comércio, agricultura, finanças e planejamento, junto com o setor privado, a mídia e as empresas de produtos alimentícios e a sociedade civil, está sendo convocada para resolver essa crise global da saúde, relacionada ao aumento das doenças crônicas (Epstein, 2007).

Embora esteja ocorrendo mudanças nas organizações de saúde (desde os cuidados de saúde tradicionais até os gerenciados), essas mudanças só tiveram um efeito atenuante sobre o aspecto organizacional do gerenciamento desses sistemas de saúde, e não contribuíram para melhorar a eficácia dos tratamentos, apesar dos grandes avanços tecnológicos. Além da estrutura organizacional do sistema de saúde (esta de certa forma aumentou a sua eficiência nas áreas fiscais e organizacionais), são as intervenções terapêuticas que mais precisam de uma revisão.

Os parâmetros dessa reorganização devem se iniciar por uma revisão cuidadosa tanto do atual código de ética quanto do desenvolvimento da política dos sistemas de saúde, que não foi norteado pelos principais fatores políticos e de economia de mercado. Para recuperar a sacralidade originalmente pretendida da medicina, também é preciso que olhemos mais de perto o que as escolas de medicina estão ensinando às futuras gerações dos profissionais de saúde. Uma formação que incluísse a cura de todo o organismo, e não só a pacificação de sintomas físicos ou o alívio temporário da dor, atenderia muito mais às necessidades "reais" dos pacientes.

Para que isso ocorra nas instituições de ensino superior, principalmente nas escolas de medicina, seria preciso requisitar dos alunos uma receptividade maior às novas abordagens que veem o paciente de uma forma holística, como um indivíduo conectado (ou desconectado) da corrente de vida universal. As necessidades do paciente seriam mais bem atendidas caso os profissionais de saúde o encarassem como alguém que apresenta um conjunto único de condições e sintomas patológicos, e lhe oferecessem planos de tratamento individualizados, em vez de classificá-lo com diagnósticos-padrão e protocolos de prognóstico, e um plano de tratamento generalizado.

O primeiro passo seria adotar modalidades de tratamento que se adéquem às necessidades individuais do paciente, em vez de tratá-lo de acordo com uma orientação teórica convencional preestabelecida. Tratando-se superficialmente um corpo doente, detritos tóxicos que afetam a saúde mental e física podem representar uma grande ameaça à saúde.

Como profissionais de saúde, os médicos deveriam ser capazes de instilar confiança, fé e esperança nos pacientes, algo que as instituições de ensino superior e os atuais sistemas de saúde não enfatizam.

O corpo espiritual, principalmente dos pacientes com problemas mentais e emocionais (que abrigam lembranças de vidas passadas), não pode ser tratado ou curado completamente por meio de métodos que visem à manutenção da doença (supressão apenas dos sintomas), da prescrição de medicamentos e/ou de psicoterapia convencional, que se limita ao histórico médico tradicional do paciente.

Como os medicamentos, os tratamentos médicos e as cirurgias convencionais, a terapia eletroconvulsiva e a psicoterapia convencional não podem lidar completamente com esse aspecto do problema de saúde do paciente.

Os médiuns de cura e os médicos espiritualistas, que podem adotar intervenções terapêuticas transcendentais, estão mais bem preparados para essa tarefa única e especializada. Os curadores e as casas de cura brasileiras são sempre alvo de atenção dos médicos, cientistas e psicólogos convencionais, pois é por meio do Espírito da verdade e do conhecimento que eles estão aumentando a compreensão que têm da saúde e da doença. A biografia evolutiva de um paciente, que em termos médicos compreende um histórico médico mais abrangente, está ajudando os profissionais de saúde convencionais a compreender que a chave para curar a composição biológica enferma de uma pessoa está muito além do seu tradicionalmente limitado histórico médico.

Como afirmou o dr. Uehara, médico-espírita cardiovascular de São Paulo, para analisar, interpretar, diagnosticar e tratar melhor as doenças, os médicos precisam encarar com mais humildade a sua nobre profissão. O dr. Uehara frequenta a Casa de Dom Inácio e ajuda o médium João nas cirurgias espirituais há mais de dez anos. Segundo acredita, todos os médicos ocidentais precisam reconhecer que a medicina pertence a reinos superiores. Para que isso aconteça, diz ele, "os médicos precisam se postar com mais humildade diante do Criador". Esse é o motivo pelo qual ele optou por servir à Casa, viajando de São Paulo até Abadiânia várias vezes por ano. Isso serve para lembrá-lo da sua humilde posição.

O progresso científico no século XVII, que derivou diretamente de uma perspectiva empírica, teve que descartar do livro da natureza a visão teológica (moral, religiosa e mística) e filosófica, ambas importantes e há tanto tempo mantidas. Embora o progresso científico tenha aperfeiçoado as técnicas de pesquisa e levado a tecnologia a alturas vertiginosas, ele teve efeitos deletérios que transformaram valores morais importantes e, consequentemente, afetaram estruturas políticas, econômicas e sociais.

> *Como profissionais de saúde, os médicos deveriam ser capazes de instilar confiança, fé e esperança nos pacientes, algo que as instituições de ensino superior e os atuais sistemas de saúde não enfatizam.*

A secularização de uma nova era começou há mais de quatro séculos e seus efeitos e condições negativas continuam a ser sentidos até hoje. Para recuperarmos a consciência do caráter sagrado da vida humana é preciso que voltemos ao sistema transcendental dualista que permitirá que o simbólico e o místico andem lado a lado com o espírito e o prático.

Religião e Ciência, sendo duas alavancas da inteligência e evolução humanas procedentes da mesma fonte divina, só podem levar a uma Única fonte, e não contradizer uma à outra, pois isso não seria coerente com os planos divinos.

A raiz dos conceitos equivocados está, portanto, apenas nas visões unilaterais resultantes, limitadas e incompletas, que Ciência e Religião têm uma da outra, derivadas de uma compreensão mais profunda da *Verdade*. Mas a verdade só será conhecida quando ambas as alavancas, a ciência e a religião, forem igualmente ativadas.

Chegou a hora de Ciência e Religião se complementarem. "[...] a Ciência, deixando de ser exclusivamente materialista, deve levar em consideração o elemento espiritual; e [...] a Religião, deixando de desconhecer as leis orgânicas e imutáveis da matéria, se apoiará na Ciência, marchando então ambas as forças de mãos dadas, prestando-se mútuo apoio" (Kardec, 2000, p. 33).

"O elo que falta está no conhecimento das leis que regem e entrelaçam o mundo espiritual com o mundo físico — leis tão imutáveis quanto as que regem o movimento dos astros e a existência dos seres. Uma vez constatadas pela experiência essas relações, uma nova luz se fará. A fé se dirigirá à razão; esta nada encontrará de ilógico na fé, e o materialismo será vencido" (Kardec, 2000, p. 33).

Capítulo 21

O cultivo de uma nova parceria entre médico e paciente e a melhora das condições sociais: trabalhando

Os médicos espíritas brasileiros utilizam as mesmas terapias que os médicos alopatas aprendem na escola de medicina, mas, indo além dos tratamentos e cirurgias biomédicas, os médicos espíritas também lançam mão da homeopatia, da acupuntura, da psicologia transpessoal, da terapia de vidas passadas e da terapia complementar espírita (que envolve médiuns de cura). Esses médicos espíritas acreditam que o paradigma clássico materialista está em seus estágios finais de "exaustão" e caberá às futuras gerações de acadêmicos reformular a medicina.

A preparação para o futuro requer uma visão mais ampla que fará do modelo médico humanista e transcendental do futuro uma representação ampla de tradições de cura, credos, nacionalidades e visões étnicas e tradicionais; uma visão que exige uma análise profunda da rede da vida em sua totalidade.

Assim como a arena científica, em seu curso evolucionário, compartilhou com várias disciplinas os seus métodos, estatísticas e resultados que contribuíram para o seu avanço, um modelo integrativo de saúde para toda a raça humana exigirá que a comunidade médica transcenda fronteiras (como os brasileiros já estão fazendo) e atinja a comunidade internacional.

A inestimável cooperação entre a sabedoria de cura e o mundo espiritual oferece à comunidade médica uma nova miríade de conceitos, valores, ideias e práticas que podem ajudá-la a compor um novo modelo que não só melhorará a saúde física das pessoas, mas também a saúde mental, moral e social do mundo todo. A promoção da saúde mental, moral e social da humanidade, tarefa à qual se dedicam tantos brasileiros, é realizada por meio de obras de caridade realizadas em colaboração com o bem comum — o que eles chamam de "trabalhar".

Esses médicos espíritas acreditam que o paradigma clássico materialista está em seus estágios finais de "exaustão" e caberá às futuras gerações de acadêmicos reformular a medicina.

Esse "trabalhar" é um conceito edificante que vale a pena aprender durante a vida, de preferência na juventude, pois ele ajuda a acumular um bom karma e é o único caminho para a salvação. Portanto, quanto antes uma pessoa reconhecer e compreender essa Lei, mais karma positivo ela poderá acumular e resgatar na vida após a morte, e mais alto ascenderá.

O conceito não cíclico da natureza e da vida humana, que existiu nos últimos dois mil anos no mundo todo, ou pelo menos no Novo Mundo, quando apresentado na sua nova luz de ciclos repetitivos de vida e renascimento, pode ser o suficiente para trazer um significado novo e poderoso à vida de muitos.

A compreensão da natureza cíclica da Lei Natural (ou seja, que os seres morrem e nascem novamente para equilibrar seu karma passado), de que tudo na vida é temporário e passageiro (como as estações, que se repetem a cada ano, ensinando-nos que a nossa vida física é impermanente), deve ajudar a humanidade a entender melhor que a vida permanente é a nossa vida espiritual, e aceitar essa verdade pode nos ajudar a lidar com as realidades de dor, sofrimento e morte de uma forma muito mais eficaz.

O medo de perder a vida (vista como a única existência humana) ou o medo da morte sem dúvida alguma retarda o crescimento espiritual humano. Se não conquistarmos a força espiritual necessária para ter a paz interior e serenidade que nos ajudarão a manter um estado de equilíbrio nos ciclos das provações humanas, o progresso evolucionário poderá ficar muito mais difícil.

Só quando a humanidade adotar uma nova perspectiva, uma perspectiva verdadeira da natureza cíclica de todas as coisas, o espírito obterá uma visão mais ampla, uma expansão da consciência e uma mentalidade comunal aliadas à cooperação, à colaboração e à coletividade. A sociedade terá mais paz interior quando souber que a vida física é impermanente, mas que a vida espiritual é eterna. Em suma, a humanidade deverá ser um povo mais harmonioso e produtivo.

A sociedade terá mais paz quando souber que a vida física é impermanente, mas que a vida espiritual é eterna.

Ter potencial para criar indivíduos mais responsáveis do ponto de vista social, afetando positivamente muitas doenças sociais e tendo a capacidade de reduzir tendências agressivas e suicidas, e violência urbana, e de tornar a vida das pessoas mais harmoniosa — todas essas são, por natureza, atitudes que impulsionam o progresso social.

Incorporando modalidades de tratamento e diagnóstico de tradições espirituais e de cura do mundo todo, o modelo de saúde integral oferece um código universal de ética humana na prática da medicina humanista e integrativa. Contribuições importantes das principais tradições espirituais e terapêuticas do mundo, utilizadas nesse novo repertório de tratamentos, estão conferindo aos espíritas brasileiros as diretrizes básicas necessárias para uma vida ética tanto na vida pública quanto na privada.

Não há como negar que esse modelo integrativo de saúde oferece um aspecto "unificador" inigualável para a experiência de cura. Ao reconhecer que todos os sistemas de crença religiosos e relacionados à cura na verdade derivam da mesma "unidade" de fonte divina, os pacientes estão descobrindo como se conectar com um Eu Superior comum.

Sofrendo de doenças físicas e espirituais semelhantes, os pacientes são capazes de seguir uma nova abordagem de cura universal e despertar para uma nova realidade espiritual que os leva a uma nova dimensão. A cura ocorre quando removem as muralhas do separatismo, dos estereótipos e dos conceitos equivocados que levaram muitos à infelicidade e à doença. A medicina mediúnica, humanista, quântica ou transcendental, seja qual for o nome que se prefira dar a ela, ajudará os indivíduos a reconhecer a importância da saúde moral no contexto da saúde completa e exigirá uma cooperação multidisciplinar entre a ciência espiritual e a ciência clássica. Se os pacientes tiverem conhecimento tanto espiritual quanto material, eles poderão ser pessoas de mais discernimento e, portanto, aprenderão a transformar situações irracionais em racionais. Educando a alma em termos morais, os pacientes podem atingir níveis mais elevados de consciência, que os levarão a recuperar a integridade do ser na rede sagrada da vida.

Embora a adaptação do modelo de saúde dualista brasileiro possa trazer muitos benefícios definitivos para a saúde, nem todos seriam a favor dela. Atualmente, a implantação da medicina mediúnica nos Estados Unidos, por exemplo, infelizmente seria um enorme desafio do ponto de vista jurídico. Talvez, depois que o campo relativamente novo da parapsicologia ganhar mais apoio e confirmação acadêmica e científica (principalmente a cura mediúnica), ele possa impulsionar uma nova visão nas áreas científicas, médicas e legais que atualmente não encontra força para mudar. Só quando a medicina mediúnica for plenamente aceita e oficialmente reconhecida, ela poderá coexistir com a medicina clássica. Nesse meio-tempo, ainda há muito a se fazer para resolver a atual crise da saúde.

> *Só quando a humanidade adotar uma nova perspectiva, uma verdadeira perspectiva da natureza cíclica de todas as coisas, o espírito obterá uma visão mais ampla.*

Para começar, a medicina clássica pode admitir que o modelo corrente está obsoleto e requer grandes modificações. Esse já é o primeiro passo. O reconhecimento da importância do cuidado preventivo e da ênfase na educação do paciente também beneficiaria a biomedicina, assim como o reconhecimento das contribuições de todos os tipos de tradições e terapias espirituais. Tudo isso poderia exercer uma influência definitiva no processo de cura.

Também é fundamental que se difunda fora do Brasil o conceito de casas como santuários de cura, pois o seu sucesso comprovado provavelmente se repetiria em qualquer lugar do mundo. O estabelecimento de centros de saúde que sirvam ao mesmo propósito, para instruir, dar orientação espiritual e curar tanto os males físicos quanto os espirituais tem um grande potencial para reduzir as doenças mentais e alterar significativamente as atuais taxas de mortalidade e morbidez.

O cenário refletiria o de um santuário de cura, com muito espaço para salas de meditação, que serviriam como salas de irradiação energética. Como nos centros de cura, essas salas propiciariam um local para meditação, canalização e redirecionamento da energia de cura. Praticantes qualificados da medicina energética, de tradições de cura do mundo todo, poderiam assistir os pacientes, realinhando e reequilibrando os seus sistemas energéticos debilitados ou deteriorados.

Como um santuário de cura, o lugar também teria uma paisagem tranquila e serena, de preferência cercada de cachoeiras, jardins luxuriantes e uma inspiradora arte sagrada de diferentes tradições espirituais do mundo, exposta nas paredes do interior da casa, tornando o ambiente mais sagrado ainda e acessível a todos.

A equipe médica voluntária coexistiria com médicos naturopatas, curadores espirituais de várias tradições, praticantes de medicina energética e representantes espirituais (rabinos, sacerdotes, ministros etc.) nas premissas de ajudar aqueles que se esqueceram dos princípios humanos básicos e precisam de um mentor ou especialista que o ajudem a se render à vontade de Deus e o preparem para servir com altruísmo, de modo que possam aceitar sucessos e fracassos com a mesma calma e entrega ao Criador.

Essas casas de cura também serviriam como centros de pesquisa, propiciando um ambiente de trabalho colaborativo que permitisse a congregação de muitas tradições espirituais e de cura do mundo inteiro. Esforços multidisciplinares reunidos com o objetivo de encontrar uma solução mais integrativa para a crise global da saúde deveriam oferecer um intercâmbio de valiosas pesquisas e literatura médicas para pesquisadores, pacientes e o público em geral.

O objetivo final da disseminação do conceito de casas espirituais no mundo todo seria produzir muito mais "antenas vivas", que preparassem almas para se elevar cada vez mais em direção ao céu. No entanto, a visão e a compreensão limitadas que a humanidade tem das vidas espiritual e material não lhe permitem acesso à visão e à compreensão amplas da Ordem Superior. O mundo material, com sua percepção limitada, não permite que o mundo espiritual se aproxime muito dele; isso só acontecerá quando a humanidade aprender a expandir sua consciência para que as verdades universais encontrem tempo e espaço adequados. Hoje, muitos pesquisadores e cientistas ligados à disciplina acadêmica da física quântica já vêm tentando isso. Disciplina científica que melhor explica vários fenômenos ligados ao misticismo, a física quântica busca agora uma explicação mais profunda para a vida humana. Em algum ponto entre o humanismo idealista e o realismo materialista jaz a sensibilidade necessária para compreender a natureza de um curador mediúnico e as suas curas em nível quântico.

Felizmente, o dr. Fritz encontrou vários aliados poderosos na comunidade científica da Terra. O físico quântico Amit Goswami, por exemplo, empenha-se para que as verdades do universo e da ciência se revelem e apoiem as realidades e verdades místicas da alma e do espírito, com suas teorias da cosmologia quântica e da consciência. Em apoio a esse novo paradigma científico e apoiando as teorias e descobertas de Goswami, o biólogo celular Bruce Lipton apresentou um trabalho revolucionário em epigenética. Sua pesquisa revelou alguns dados novos que prometem facilitar um genuíno salto quântico em nossa atual compreensão humana. Conforme as pesquisas de Lipton, a mente (e não o corpo, como se acreditava antes) é que faz a leitura do mundo e depois ajusta a ele sua própria biologia. Ou seja, o corpo humano pode alterar sua constituição biológica alterando antes sua percepção — reprogramando-se.

Lipton também atribui a doença a um destes dois fatores: ou as proteínas são defeituosas ou os sinais chegam distorcidos. Ambos podem ser revertidos graças a um esforço "consciente": meditação, prece, fé, amor, caridade, compaixão e prática regular da autorreflexão (Lipton, 2006). Isso vai ao encontro da noção de que os pacientes precisam ser terapeuticamente reconectados à vida espiritual, caso queiram instaurar ordem em sua desordem, equilíbrio em seu desequilíbrio, saúde e harmonia em sua condição de enfermos.

Nossa vida atual é uma reprodução de nossa mente subconsciente. Toda a bagagem que trazemos para esta existência terrena se torna nossa realidade até renascermos com um senso novo e uma direção nova, isto é, uma consciência nova capaz de perceber uma realidade diversa, transformada. Preceituando essa Nova Biologia, Lipton corrobora os achados de Goswami e contribui com a reintrodução da espiritualidade e do misticismo na equação da saúde. Que a obra desses grandes cientistas consiga aproximar as Leis e a Ordem do Universo Sagrado e as leis do mundo físico, para que possamos continuar avançando num caminho solidário e pacífico, para o bem de toda a humanidade.

Capítulo 22

Reflexões finais

Sem dúvida alguma, a cura espiritual e psíquica no Brasil requer uma compreensão da cultura brasileira, do jeito particular pelo qual esse povo vê o mundo, a sua contribuição única para o progresso geral da humanidade e a sua paixão pela evolução contínua da alma do mundo. Os brasileiros, convictos de que as suas terras e o seu povo foram incumbidos da tarefa de aliviar o sofrimento humano, humanizar a medicina e cristianizar a humanidade, tornaram-se os portadores da luz, num projeto que envolve o progresso do mundo todo.

Só quando todos os seres humanos deixarem de lutar por poder e sucumbir à ambição, os médicos de almas (médiuns de cura) e os médicos espíritas (médicos alopáticos e espiritualistas) chegarão mais perto de seus objetivos monumentais — a medicina integral e transcendental, na qual não existem hierarquias burocráticas e custos abusivos. Quando os objetivos da medicina não forem mais ofuscados pelos interesses das seguradoras e convênios de saúde, nem pelos conglomerados médicos, econômicos e políticos, mas buscarem uma aplicação mais prática e objetiva para os princípios pedagógicos cristãos de saúde espiritual e física, a medicina atingirá um patamar mais elevado.

O trabalho de criar um mundo melhor, onde a sabedoria, a fé, a razão e o amor estejam plenamente integrados, requer um grande esforço. Mentes e corações importantes do mundo antigo vieram mostrar à humanidade o caminho. Cristo, assim como outras mentes iluminadas, propiciou um entendimento maior e mais claro de que caminho é esse. E o atual movimento em prol da saúde humanista no Brasil ajudará a humanidade a concluir o seu projeto transcendental e evolucionário de medicina integrativa.

Cristo, Buda, Maria de Nazaré, Maria Madalena, Allan Kardec, Bezerra de Menezes, Chico Xavier, Arigó, Edson Cavalcante Queiroz, Rubens Faria, Aylla Harard, Chico Monteiro, João de Deus, Rocha Lima, Ary Lex, Edgard Armand, Stanley Krippner, Larry Dossey, Barbara Brennan, Richard Gerber, Amit Goswami, Bruce Lipton e Deepak Chopra, assim como muitas outras almas valentes (tanto encarnadas quanto desencarnadas), cujo nome não é citado aqui, não só compreenderam as verdades espirituais e de cura de muitas tradições do mundo, como também cumpriram o mais nobre juramento de defender a criação divina, mesmo quando as suas mensagens não foram compreendidas pelas pessoas do seu tempo.

Se a humanidade não tivesse permitido que novas ideias revolucionárias coexistissem com os paradigmas do seu tempo e tivesse simplesmente descartado essas ideias, por estarem além dos parâmetros intelectuais do seu tempo, o progresso evolucionário ocorrido em todas as áreas, científica, teológica e filosófica, nunca teria acontecido.

Cada uma das ideias de todas as disciplinas, sejam elas científicas, filosóficas ou teológicas, compreende o todo. O fato de indivíduos honrados e extremamente bem-sucedidos, depois de uma extensa busca, terem passado a defender novas ideias faz destas, no mínimo, uma clara possibilidade" (Kardec, 2002, p. 19). Não há dúvida de que a cura espiritual oferece um maior embasamento tanto intelectual quanto espiritual.

Para terminar, eu gostaria de dizer aos leitores que nunca havia chegado tão perto do fenômeno paranormal místico, essa realidade ativa no Brasil, antes de o universo me propiciar as experiências místicas relatadas aqui. Haverá melhor maneira de aprender sobre as Leis Naturais do Universo do que experimentá-las diretamente? A permanência das Leis da Ordem Superior é uma vigorosa mensagem que ouvi claramente e decidi seguir. Constatando que as leis dos homens são imperfeitas e avançam constantemente rumo a um eu mais evoluído, pude reconhecer quem de fato manda aqui.

Sempre tive fé, mas precisei ser testada; descobrindo a maneira de sentir essas maravilhosas vibrações e verdades, pude entender o que a Consciência Superior me comunicava e comuniquei-o, por minha vez, aos leitores. A meu ver, é absolutamente necessário caminhar na direção da Consciência Superior a fim de receber lições que sirvam para unir a humanidade, fazendo dela uma sociedade mais fraterna e justa. Permitindo que a Ordem Superior atue por intermédio da pequenina vontade dos homems, seremos conduzidos pela sabedoria e graça dessa ordem e salvaremos o planeta tanto dos males da autodestruição quanto da fé hesitante. Essa foi uma jornada incrível para mim!

Apêndice: Orações brasileiras e universais

Oração de Santo Inácio

Tomai, Senhor, e recebei toda a minha liberdade e a minha memória também. O meu entendimento e toda a minha vontade, tudo o que tenho e possuo vós me destes com amor. Todos os dons que me destes com gratidão vos devolvo. Disponde deles, Senhor, segundo a Vossa vontade. Dai-me somente o Vosso amor, a Vossa graça. Isto me basta, nada mais quero pedir. Amém.

Oração para a paz interior

Oh, Senhor Onipotente, Todo-Poderoso, Guarda sempre...
A minha confiança em Ti e em mim mesmo,
A minha consciência, que está sempre em paz,
O meu tempo, ocupado em tarefas úteis,
As minhas palavras, que são sempre construtivas,
As minhas orações, enquanto forem edificantes,
A minha esperança, enquanto servir aos outros,
A minha paciência, enquanto visar ao bem comum,
A minha opinião, que deve sempre conter amor,
A minha bênção, de uma compreensão maior,
A minha participação, no progresso da humanidade,
A minha atitude, na qual nunca deve faltar compaixão,

A minha verdade, sempre iluminada com o Teu amor,

O meu arrependimento, das minhas más ações,

A minha fidelidade, a todas as minhas promessas,

O meu perdão, que é sempre incondicional,

A minha devoção, ao mais elevado aprendizado,

O meu gesto, de simpatia,

O meu sorriso, de estímulo,

A minha espontânea assistência aos necessitados,

A minha simplicidade, em todos os hábitos,

O meu espírito, sempre renovado,

A minha sabedoria, de tolerância,

A minha coragem, para me esquecer de mim mesmo em benefício dos outros,

A minha perseverança, só com relação a tudo o que é bom.

Que eu consiga preservar essas transformações pessoais, nas minhas experiências diárias, para dominar a ciência da paz interior com o privilégio de encontrar felicidade por meio do meu trabalho, num clima de amor. Amém.

Oferecimento do dia

Adoro-Vos, meu Deus, amo-Vos de todo o meu coração. Agradeço-Vos, porque me criastes, me fizestes cristão, me conservastes a vida e a saúde. Ofereço-Vos o meu dia: que todas as minhas ações correspondam à vontade. E que eu faça tudo para a Vossa glória e a paz dos homens. Livrai-me do pecado, do perigo e de todo mal. Que a Vossa graça, bênção, luz e presença permaneçam sempre comigo e com todos aqueles que eu amo. Amém.

Oração para pedir os 7 dons do Espírito Santo

Ó Jesus, que antes de subirdes aos céus, prometestes aos Vossos Apóstolos e discípulos enviar-lhes o Espírito Santo para os consolar e fortalecer, dignai-Vos fazer descer também sobre nós este Espírito consolador. Vinde Espírito de sabedoria, e fazei-nos conhecer a verdadeira felicidade dando-nos os meios para consegui-la. Vinde, Espírito de inteligência, que, por Vossa divina luz, nos fazeis penetrar as verdades e os mistérios de nossa santa Religião. Vinde, Espírito de conselho, e ajudai-nos a discernir em todas as ocasiões o que devemos fazer para cumprir com a Vossa divina vontade. Vinde, Espírito de fortaleza, e prendei-nos a Deus e aos nossos deveres de maneira que nada jamais nos possa abalar. Vinde, Espírito de ciência que, só Vós, nos podeis dar o perfeito conhecimento de Deus e de nós mesmos. Pedimo-Vos esta ciência divina e única necessária com todo o ardor de nossa alma. Vinde, Espírito de piedade, para que saibamos executar com alegria e prontidão o que Deus nos manda e para que, pela unção de Vosso divino amor, achemos verdadeiramente leve e suave o jugo do Senhor. Vinde, Espírito de temor de Deus, e fazei-nos evitar com o maior cuidado tudo o que possa desagradar ao nosso Pai celestial.

Glória a Vós, Pai Eterno, que com o Vosso Filho único e o Espírito consolador, viveis e reinais por todos os séculos dos séculos. Amém.

Prece de Cáritas

Deus, nosso Pai, que sois todo poder e bondade, dai a força àquele que passa pela provação, dai a luz àquele que procura a verdade; ponde no coração do homem a compaixão e a caridade.

Deus! Dai ao viajor a estrela-guia, ao aflito a consolação, ao doente o repouso.

Pai! Dai ao culpado o arrependimento, ao espírito a verdade, à criança o guia, ao órfão o pai.

Senhor! Que a Vossa bondade se estenda sobre tudo que criastes. Piedade, Senhor, para aqueles que não Vos conhecem; esperança àqueles que sofrem. Que a Vossa bondade permita sempre aos espíritos consoladores derramarem por toda parte a paz, a esperança e a fé.

Deus! Um raio, uma faísca do Vosso amor pode abrasar a Terra! Deixai-nos beber nas fontes dessa bondade fecunda e infinita, e todas as lágrimas secarão; todas as dores acalmar-se-ão. Um só coração, um só pensamento subirá até Vós, como um grito de reconhecimento e de amor.

Como Moisés sobre a montanha nós Vos esperamos com os braços abertos. Oh! Poder... Oh! Bondade... Oh! Beleza... Oh! Perfeição... E queremos de alguma sorte alcançar a Vossa misericórdia.

Deus! Dai-nos a força de ajudar o progresso, a fim de subirmos até Vós; dai-nos a caridade pura; dai-nos a fé e a razão; dai-nos a simplicidade, que fará de nossas almas o espelho onde se deve refletir a Vossa Pura e Santa imagem.

Amém.

Pai-nosso (Tradução do aramaico)

Ó força procriadora!

Pai e Mãe do cosmo, mira Tua luz dentro de nós, abençoando-nos.

Cria o Teu reino de união, agora.

O Teu desejo e o nosso sejam únicos, assim como é toda luz e todas as formas.

Dá-nos todos os dias o que necessitamos em pão e entendimento.

Desfaz os laços que nos prendem assim como nós soltamos as amarras da culpa de nossos irmãos.

Não permitas que as coisas superficiais nos iludam e liberta-nos de tudo o que nos detém.

De Ti nasce toda vontade reinante, o poder e a força viva que se renovam a cada dia e a tudo embelezam.

Dá poder a esta declaração, para que possa ser o solo no qual cresçam todas as minhas ações, amém.

Credo

Creio em Deus Pai Todo-Poderoso,
Criador do céu e da terra,
Creio em Jesus Cristo Nosso Senhor,
que foi concebido pelo poder do Espírito Santo,
nasceu da Virgem Maria,
padeceu sob Pôncio Pilatos,

foi crucificado, morto e sepultado,
desceu à mansão dos mortos,
subiu aos céus,
está sentado à direita de Deus Pai,
de onde há de vir julgar os vivos e os mortos.
Creio no Espírito Santo,
na Santa Igreja Católica,
na comunhão dos Santos,
na remissão dos pecados,
na ressurreição da carne,
na vida eterna.
Amém.

Oração ao reino do senhor

Divino mestre, como mensageiro do Teu reino, quero transformar o mundo em celestial morada.

Que no reino da discórdia, eu revele o reino do entendimento e da paz.

Que no reino das trevas, eu revele o reino da luz divina.

Que no reino do ódio, eu revele o reino da felicidade e do amor.

Que no reino da descrença, eu revele o reino da fé cristã.

Que no reino de sofrimentos e mágoas, eu revele o reino da bem-aventurança eterna.

Que no reino da desavença, eu revele o reino da fraternidade universal.

Que no reino do desespero, eu revele o reino da consolação.

Que no reino do orgulho, eu revele o reino da humildade e da simplicidade.

Que no reino da intolerância, eu revele o reino da compreensão e da paciência.

Que no reino da vingança, eu revele o reino do perdão.

Que no reino do egoísmo, eu revele o reino da gratidão.

Que no reino da passividade, eu revele o reino da vontade poderosa.

Que no reino da maldade, eu revele o reino da caridade para com o próximo.

Amado senhor, que pregando a Tua doutrina na terra, eu consiga, sobretudo, transformar o reino dos homens em reino abençoado de Deus!

A grande invocação

Do ponto de luz na mente de Deus,
flua luz às mentes humanas;
que a luz desça à terra.

Do ponto de amor no coração de Deus,
flua amor aos corações humanos;
que Cristo retorne à terra.

Do centro onde a vontade de Deus é conhecida,
Que o propósito guie todas as pequenas vontades humanas;
o propósito que os mestres conhecem e servem.

Do centro a que chamamos a raça humana,
cumpra-se o plano de amor e luz;
e que ele vede a porta onde mora o mal.

Que a luz, o amor e o poder
restabeleçam o plano na terra. Amém.

Nosso pedido

Amado Mestre,

Queremos pedir nesta prece algo que se nos afigura tão necessário: pedir por todos na Terra. Pedir a fé para os nossos irmãos que ainda não conseguiram por motivos vários, se integrar a nenhuma religião. A Teu próprio conselho, rogamos a Deus Pai, Força Suprema de Amor, que nos perdoe o atraso com que respondemos ao Teu apelo de renovação, e que envie ao mundo a vibração do Amor Maior! Que Vossa Energia, Deus Pai, forme correntes de Luz em torno do nosso planeta, beneficiando todas as mentes, ainda despreocupadas de seus deveres espirituais. Precisamos tanto de Vós, Pai, e nesse momento Vos rogamos: enviai operários à Vossa Seara! Envolvei-nos todos na Vossa Energia mais pura! Ajudai-nos a ajudar aos que nos cercam! Permiti que os Vossos Mensageiros cheguem mais e mais até nós! E finalmente rogamos pela união imperecível e duradoura do Vosso Rebanho no Cristo Jesus, fazendo com que todas as religiões e povos se unam por um ideal maior de Amor! Ajudai-nos, Pai, a levar a Vossa Luz aos que não a tem! Divino Mestre, que o nosso pedido chegue ao Pai, através de Ti.

Graças a Deus!

Oração à Nossa Senhora Aparecida, padroeira do Brasil

Nossa Senhora Aparecida, padroeira e rainha do Brasil, Vós que nos amais e nos guiais todos os dias, Vós sois a mais bela das mães, a quem eu amo de todo o meu coração. Eu Vos peço mais uma vez que me ajude a alcançar uma graça. (Fazer o pedido.) Sei que me ajudará e sei que me acompanhará sempre, até a hora da minha morte. Amém. (Rezar esta oração por três dias seguidos.)

Oração a São Rafael Arcanjo

Guardião da saúde e da cura
peço que Vossos raios curativos desçam sobre mim,
dando-me saúde e cura.
Guardai meus corpos físico e mental,
livrando-me de todas as doenças.
Expandi Vossa beleza curativa em meu lar,
meus filhos e familiares, no trabalho que executo,
para as pessoas com quem convivo diariamente.
Afastai a discórdia e ajuda-me a superar conflitos.
Arcanjo Rafael, transformai a minha alma e o meu ser,
para que eu possa sempre refletir a Vossa Luz.
Amém.

Oração ecumênica

Ó, Criador, deixe-me sentir a vida de todas as coisas e de todos os povos.
Que aquele que é o Senhor do Céu dos cristãos,
O Santo dos judeus,
Alá dos muçulmanos,
Buda dos budistas,
Tao dos chineses
Ahura Mazda dos zoroastras
E Brahman dos hindus
Leve-nos do irreal para o real,
Da escuridão para a luz.
Da doença e da morte para a imortalidade. Amém.

Meditação da bondade

Que todos os seres conheçam a felicidade,
Que todos os seres conheçam o amor,
Que todos os seres sejam amparados com amor,
Que todos os seres sejam livres,
Que todos os seres despertem!

Antiga oração hindu

Meditamos na Glória transcendental da Divindade Suprema, que está fora do coração da Terra, dentro da vida do céu e dentro da alma do céu. Que ele possa estimular e iluminar nossa mente. Leva-nos do irreal ao real. Leva-nos da escuridão à luz. Leva-nos da morte à imortalidade.

Oração maia para o criador

Que o teu coração esteja no coração do universo.
Que o coração do universo esteja no meu coração.
Que o meu coração esteja no coração da Terra.
Que o coração da Terra esteja no meu coração.

Oração de cura para a hora de dormir

Jesus, através do poder do Espírito Santo, retroceda em minha memória enquanto eu durmo e cura toda mágoa que tenham me infligido.

Cura toda mágoa que eu tenha um dia causado a outra pessoa. Cura todos os relacionamentos que estejam me prejudicando na vida sem que eu perceba.

Mas, Senhor, se houver algo que eu precise fazer, se eu precisar ir até alguém porque essa pessoa ainda está sofrendo por minha causa, traga-me à consciência essa pessoa, pois eu quero perdoar e pedir o Teu perdão. Tire qualquer amargura que eu tenha no coração, Senhor, e preencha os espaços vazios com o Teu Amor. Amém.

Antiga prece de devoção

Jesus, que tudo o que Tu és possa fluir para mim.
Que o Teu corpo e o Teu sangue possam me unir a Ti.
Que a Tua paixão e a Tua morte possam ser a minha força e vida.
Jesus, contigo ao meu lado já tenho o que me basta.
Que o abrigo que busco seja a sombra da Tua cruz.
Não permita que eu me afaste do amor que me ofereces,
Mas me protejas das forças do mal.
Que em cada uma das minhas mortes derrame-se a Tua luz e o Teu amor.
Chama-me até que chegue o dia em que, com os seus santos, eu possa glorificar-Te para sempre.

Antigo encantamento exorcista da Mesopotâmia

Não chegarás perto do meu corpo.
Não ficarás diante de mim.
Não seguirás atrás de mim.
Onde eu paro, tu não paras.
Onde estou, vós não se sentas.
Em minha casa, tu não entras.
Em meu telhado, não me surpreendas.
Tu não colocas o teu pé nas pegadas dos meus pés.

Para onde eu vou, tu não vais.
Onde eu entro, tu não entras.

Oração para o coração ternissimo

A minha súplica não é para partilhar as coisas que o mundo exalta, mas para obter o poder de ajudar os meus semelhantes a atingir um estado mais elevado e feliz. Amém.

Glossário

Afirmação Forma de prece terapêutica. A afirmação ajuda a eliminar pensamentos limitados e nocivos e a substituí-los por outros, positivos e construtivos.

Água magnetizada/fluidificada Água que foi objeto de uma bênção ou meditação, e recebeu um bálsamo medicinal espiritual por meio das radiações das melhores energias de um agente de cura. As vibrações durante a vigésima segunda hora (dez horas da noite) são as mais apropriadas para se solicitar a água mais poderosa e purificada do plano espiritual.

Alma O Eu espiritual superior. Trata-se da visão do ponto de origem, muito além do que nos lembramos. A alma carrega o capital mental e espiritual e deixa o capital físico, temporário, para trás. Trata-se da extensão da realidade interior da pessoa. A alma organiza, regenera e cria tudo na sua existência. É o centro da nossa energia e carrega os ideais humanos. A alma é a essência da vida eterna; é a nossa bússola interior.

Amor Criação e manutenção da substância primordial do universo. Assim como o ar é indispensável para a existência orgânica, o amor é indispensável como o oxigênio para a alma.

Antropologia médica Campo acadêmico que estuda a maneira como os indivíduos abordam questões como a saúde, a doença e a cura de acordo com os seus respectivos costumes, crenças e culturas, através do tempo.

Associação médico-espírita Organização profissional brasileira que está ajudando a criar uma nova geração de profissionais de saúde integrativos, capazes de engendrar o primeiro modelo de medicina transcendental e humanista do mundo.

Atenção plena Controle do eu. Suave lembrete de Deus para que a pessoa pense, sinta e faça algo pelos outros antes de pensar, sentir e fazer para si mesma.

Aura Sistema energético humano exterior do corpo. Trata-se do invólucro humano de luz. Quanto mais clara e brilhante está a aura, mais ela reflete o estado de integridade e completude da pessoa. A aura mais densa e escura revela uma pessoa que perdeu o contato com a sua alma e com o cosmos e, portanto, sinaliza falta de amor e luz na palavra, no pensamento, nas obras e no coração.

Autorrealização Satisfação plena do potencial de uma pessoa. No hinduísmo, refere-se à culminância de todas as coisas espirituais, a libertação definitiva do ciclo da vida e renascimento.

Bem-estar Disposição feliz, atingida por meio do trabalho, do descanso, da alimentação balanceada, de exercícios físicos e da instrução espiritual.

Budismo Filosofia oriental que inclui conceitos como karma, reencarnação, responsabilidade por si mesmo, atenção plena, meditação e libertação, por meio do desapego das coisas materiais.

Caminho Caminho de vida de uma pessoa, a sua bem-aventurança individual. Caminho que nos leva à verdade e à perfeição de Deus.

Campo energético humano Manifestação da energia cósmica que está intimamente ligada à vida humana. Trata-se do campo energético que cerca o corpo humano, também chamado de aura, a força vital dos seres humanos.

Campos eletromagnéticos Campos do espectro eletromagnético. Um campo elétrico mutante sempre produz um campo magnético. A interação entre essas duas forças (elétrica e magnética) cria uma nova condição no espaço, o campo eletromagnético.

Candomblé Sistema de crenças originário de várias culturas africanas, principalmente da cultura yorubá, banto e gegê, presente em toda a cultura brasileira. Outros cultos derivados do candomblé: Xangô, no Recife; Batuques, no Rio Grande do Sul; Tambor de Mina, no Maranhão; e Umbanda, em todo o Brasil.

Caridade Ciência do progresso humano. Trata-se da disposição para ajudar o próximo; o compromisso com Deus e com os semelhantes de servir, particularmente aos pobres e sofredores. Trata-se da obrigação do ser humano de servir com amor, ajudando e confortando as outras pessoas. Fazer caridade é a terapia mais edificante que existe, pois é o amor em ação, que impulsiona o progresso construtivo no bem por toda a humanidade. É uma maneira de amar o próximo como a si mesmo.

Chakras Da palavra hindu que significa "roda", chakras são vórtices de energia do corpo sutil, ou perispírito, dispostos ao longo da coluna vertebral. No sentido ascendente, eles se apresentam na seguinte ordem: chakra da raiz, ou básico (ancoramento), chakra do sacro, ou sexual (relacionamentos), chakra umbilical, ou do plexo solar (poder pessoal), chakra do coração, ou cardíaco (amor e compaixão), chakra da garganta, ou laríngeo (comunicação), chakra do terceiro olho, ou frontal (intuição), e chakra da coroa, ou coronário (sabedoria divina).

Compaixão Amor fraternal que estimula uma preocupação genuína pelo outro. Trata-se de uma responsabilidade moral, um cuidado que nos ajuda a viver uma vida virtuosa. A compaixão fortalece indivíduos fracos sem humilhá-los, criticá-los, ridicularizá-los ou prejudicá-los. Os atos compassivos são gerados e energizados pelo amor.

Conhecimento eterno Essência de todas as coisas e de todos os seres. Ele ajuda a evitar pensamentos humanos cristalizadores, ideais, hábitos e condicionamentos perniciosos.

Consciência Percepção da vida e reverência pela vida. Trata-se do nível de intensidade, de profundidade pelo qual uma pessoa deseja viver. É viver a vida num constante relacionamento com o dia de hoje, possibilitando que cada momento esteja em equilíbrio com a eternidade e não apenas com uma única encarnação. Relacionada ao contato humano, trata-se do cuidado que nos conduz ao caminho da maturidade, da produtividade, da fraternidade, do amor, da paz, da alegria e da harmonia. A consciência é um aspecto humano e cultiva a moderação e a reverência à vida.

Consolação espiritual Amor por Deus, movimento positivo da alma, luz e calor de Deus na alma. A consolação espiritual inclui a entrega à vontade de Deus e a permissão para que ela invada os próprios pensamentos, palavras e atos.

Contemplação Exame profundo necessário para que possamos refletir, planejar e ordenar (ou reordenar) a nossa vida interior.

Coragem Uma virtude que requer uma base sólida de confiança, uma fé profundamente arraigada e inabalável de que Deus está sempre presente. A coragem é necessária para superarmos obstáculos no caminho da vida e para sabermos lidar com os nossos desafios pessoais.

Cosmologia Ciência do universo. Trata-se do estudo dos principais constituintes cósmicos, como a origem e a história dos elementos químicos, e do espaço e do tempo, que formam a estrutura do universo.

Cosmovisão Visão que requer a expansão (evolução) do espírito.

Cura a distância/remota Cura feita a distância. Nesse caso a distância não é espacial, mas apenas graus de percepção.

Cura espiritual Cura ocorrida por meio do contato e vontade diretos entre o ser humano e Deus.

Cura Sintonização das energias benéficas transmitidas aos pacientes com desequilíbrios ou deficiências, para que os seus centros vitais sejam reativados, o seu desequilíbrio restaurado e a sua saúde completamente recuperada.

Desapego Privação do desejo por todas as coisas materiais, em troca da busca pelas dádivas celestiais. O desapego nos ajuda a nos render à vontade de Deus, a renunciar ao eu em favor de Deus e das outras pessoas.

Desencarnado Alma sem corpo; ser espiritual, entidade.

Desobsessão Tipo de terapia psiquiátrica energética que trata o estado mental desequilibrado causado por obsessores espirituais. Isso é feito durante uma reunião de médiuns na qual um conselheiro conversa com as entidades que se manifestam, na tentativa de iluminar os espíritos sofredores que continuam a viver em tormento mental. A cura ocorre quando tanto o obsessor quanto o obsidiado são libertados um do outro, depois que a alma desencarnada é instruída a seguir para a Luz. As condições que mais propiciam a obsessão é a depressão, a anorexia, a obesidade, as fobias, qualquer comportamento compulsivo e obsessivo, como vício ou obsessão por sexo, vício em drogas, cleptomania, estupro e comportamento criminoso.

Desolação Sentimento da alma angustiada, desesperada e transpassada pela dor. A desolação é uma indicação de que se está fora de sincronia com a natureza e com a harmonia cósmica.

Desolação espiritual Escuridão da alma, relacionada à influência de espíritos menos evoluídos sobre os pensamentos, palavras e atos dos encarnados.

Discernimento Capacidade de não se deixar enganar. Trata-se da capacidade de crítica, necessária para identificar a verdade em meio à falsidade. Os *Exercícios Espirituais* (de Santo Inácio de Loyola) ajudam as pessoas a se tornar mais críticas ou a ter mais discernimento, para saber identificar a natureza das entidades espirituais e a verdade. O discernimento nos ajuda a identificar qual o propósito de Deus para nós.

Distúrbio Na vida, causa de doenças. A ordem ou a desordem da vida exterior reflete a ordem ou a desordem na vida interior.

Doença Desintegração dos corpos orgânico, psicológico e espiritual. As enfermidades da alma só podem ser tratadas com terapia espiritual. Do ponto de vista espiritual, a doença pode ser produto de um caráter reprimido, um passado negligenciado que requer atenção, reorganização e reequilíbrio.

Doença emocional Doença causada pelo desânimo relacionado às necessidades dos outros, às injustiças sociais, às iniquidades e à indiferença e opressão que prevalecem.

Doença mental Diminuição das faculdades cognitivas, emocionais ou comportamentais do indivíduo. Os agentes de cura espirituais acreditam que a doença mental é causada por influência de entidades obsessoras, além da explicação convencional de doença mental, que inclui problemas sociais, genéticos, psicológicos e bioquímicos.

Ectoplasma Substância semelhante à gaze que exsuda de todos os orifícios do corpo de certos médiuns durante o transe. Trata-se da energia espiritual que mantém a essência do espírito coesa durante trabalhos de desobsessão, curas e cirurgias espirituais.

Ecumênico Relativo à tolerância religiosa, à busca da unidade, à universalidade na experiência religiosa. Requer uma mentalidade comunal. Busca do espírito de Deus em tudo e em todos.

Emoções Forma de energia. As emoções negativas representam um importante papel na criação de bloqueios energéticos, por isso criam um acúmulo de energia densa no órgão ou chakra correspondente. As emoções positivas ajudam a manter a energia equilibrada e a saúde perfeita.

Encarnado Diz-se da alma que está vivendo no corpo físico. Estar fisicamente vivo.

Energia Força anímica de Deus, vitalidade de Deus na espécie humana.

Entidade Em termos espirituais, ser espiritual, uma alma desencarnada.

Equilíbrio Objetivo da cura natural. Trata-se do centramento de si mesmo no universo. O equilíbrio está relacionado com a harmonização das exigências mundanas com a realidade da vida eterna. Quando isso é atingido, sentimo-nos bem com nós mesmos, ficamos felizes e nos sentimos equilibrados e em paz.

Esotérico "Interior" (eso-), no sentido de consciência interior, da perspectiva transpessoal contemplativa, mística e meditativa. Só a intuição, ou as faculdades mentais superiores e espirituais, podem ajudar a entender a experiência esotérica.

Espírita Seguidor da filosofia que aborda a origem, a natureza e o destino dos espíritos, assim como o seu relacionamento com o mundo corpóreo. Os espíritas acreditam que os médiuns se comunicam não apenas com os mortos, mas também com o Espírito da Verdade — transmitindo conceitos da verdade que podem franquear uma liberdade duradoura ao ser humano. (O mesmo que kardecista.)

Espiritismo Doutrina que propicia um entendimento profundo da alma humana, do propósito da humanidade e da evolução humana, ajudando a estabelecer importantes princípios científicos entre os mundos espiritual e físico. Como ciência, o espiritismo pode ser visto como a busca pela verdade da natureza espiritual humana com o objetivo de ajudar a humanidade a se curar, progredir e evoluir. O espiritismo abriu novos horizontes para o estudo de muitos fenômenos psíquicos e ajudou a estabelecer uma classificação científica para a mediunidade (ver Instrução espiritual).

Espírito Ser inteligente. Os espíritos são almas que não estão mais no corpo físico. Eles vivem no mundo espiritual, que fica além da morte física. A alma e o espírito são a mesma entidade — nós nos referimos a ela como alma quando ela está no corpo físico e a percebemos como um ser vivo; e a chamamos de espírito quando está fora do corpo e não tem existência física, mas existe no plano espirital.

Espiritual Diz-se do que pertence ou é do espírito; não material. Refere-se à ânsia natural por Deus, à busca individual pela verdade, seguindo-se o caminho até Ele. A espiritualidade estimula o buscador a se aventurar pelo caminho solitário e pedregoso do autoconhecimento. Trata-se do conhecimento de Deus que uma pessoa tem, depois de expandir o seu conhecimento do mundo e de si mesmo. A espiritualidade culmina na atenção plena e na mentalidade de comunhão fraternal.

Espiritualista Pessoa que acredita na dimensão espiritual, além do mundo físico visível. Ela pode acreditar na existência de seres espirituais e pedir a intercessão, orientação e proteção deles. Nos Estados Unidos e na Grã-Bretanha, espiritualista é aquele que crê na comunicação entre pessoas vivas e falecidas, através de médiuns. Diferentemente dos espíritas, os espiritualistas podem não acreditar no conceito de reencarnação.

Etiologia Ciência que trata das causas ou origens da doença.

Eu Superior A alma; o ponto de contato com o Criador e com o mundo espiritual. Por natureza, o Eu Superior não está sujeito às limitações terrenas.

Evangelho Ensinamentos ou doutrina de um líder espiritual, referente à proclamação da redenção pregada por Jesus e seus apóstolos. Claro e simples, o evangelho consiste nos ensinamentos da unidade de Deus e do Homem com a humanidade.

Evolução Derivada da Lei do Amadurecimento, a evolução espiritual diz respeito à expansão, ao desenvolvimento e ao amadurecimento da nossa consciência espiritual, à medida que ela se aperfeiçoa e nos aproxima de um Eu Maior. Trata-se de uma mudança positiva que afeta todos os níveis.

Evolução espiritual Processo relacionado ao crescimento, à maturidade e ao aperfeiçoamento do espírito, no qual a pessoa se purifica e corrige os próprios erros, para se aproximar cada vez mais da perfeição de Deus.

Expiação e reparação Processo que recria uma nova expressão de si mesmo. O perdão é o primeiro passo, mas a expiação e a reparação são necessárias para recriar um novo início, uma nova energia.

Fé O nosso maior poder. Consiste na confiança, na firmeza ou na integridade do ser em unidade sagrada. Trata-se da completa confiança em Deus. A fé é que nos mantém em pé aonde quer que a vida nos leve, principalmente ao desconhecido. É o oposto do medo.

Física quântica Ramo da física que utiliza a teoria quântica (segundo a qual o comportamento da matéria no nível atômico não obedece às regras bem estabelecidas do nosso mundo macroscópico) para explicar as propriedades de um sistema físico.

Força vital universal Energia ou força vital que transcende tempo e espaço. Todos os seres e todas as coisas dependem dela para ter saúde e vida.

Gnosticismo Modo de compreensão superior ao raciocínio apenas. Os gnósticos falam de Deus como o Pai-Mãe-Filho (todos em um). O caminho dos gnósticos dos primeiros séculos do cristianismo era a salvação por meio do autoconhecimento, da iluminação na união com Deus. Eles ensinaram aos seus membros um caminho para "o lugar da paz interior".

Heresia Qualquer opinião ou doutrina que contradiga qualquer doutrina ou ensinamento ortodoxo da igreja.

Hinduísmo Considerada a mais antiga das religiões organizadas, é agora a terceira maior religião do mundo, mesmo depois de ter se dividido em milhares de religiões ao longo de mais de 3.500 anos. Dois dos pilares centrais do hinduismo são o karma e a reencarnação.

Homeopatia Abordagem médica que respeita a sabedoria do corpo e utiliza medicamentos que estimulam o sistema imunológico e o sistema de defesa do organismo.

Iluminação Redespertar espiritual, a faculdade recém-descoberta da visão interior, de um sentido mais profundo da existência, como a conhecemos. Para nascer para a luz é preciso descobrir a própria coragem.

Imaginação Poderoso transmutador químico, por meio do qual se pode transcender os limites das concepções e experiências do presente. Tem o poder de curar feridas abertas que nenhuma outra terapia foi capaz de curar.

Imortalidade da alma Referência à vida eterna. A alma nunca morre, só o corpo físico.

Indulgência Remissão de punição temporal de um pecado do qual ainda não se foi absolvido. Orações e obras de caridades são consideradas indulgências.

Inércia Força atrofiada; perda de produtividade. Trata-se da interrupção do fluxo que confere força vital e intensidade. É o mesmo que ser indiferente, inativo ou desanimado.

Instrução espiritual Iluminação da alma, que ajuda a evitar a cristalização de pensamentos, ideias, padrões habituais e condicionamento pernicioso. A instrução espiritual refere-se ao estudo gradativo do que ainda não sabemos e gostaríamos de compreender. Para entender a informação mais claramente é preciso, em vez de dicotomizá-la, contextualizá-la, vendo-a como a sabedoria que amadureceu. O objetivo desse tipo de instrução é incentivar a transformação pessoal, e não apenas inspirar debates ou ajudar a pessoa a aumentar o seu poder pessoal.

Intenção Previsão de uma determinada consequência, antes que ela se manifeste.

Intuição Campo vibratório que inclui uma percepção que está além dos cinco sentidos. Trata-se da voz do reino espiritual, a voz que leva à descoberta de coisas novas. Precisamos estar abertos para captar o que é divinamente inspirado. A intuição pode ficar bloqueada em decorrência de toxinas, emoções negativas e inércia. A intuição se abre com preces e meditação.

Irradiações Forma de transmissões telepáticas, as irradiações são emanações mentais e fluídicas, como as emanações mentais de força, coragem e confiança projetadas e recebidas por outro indivíduo.

Irresponsabilidade social Falta de entusiasmo pela justiça, que torna a pessoa insensível às muitas injustiças sociais, iniquidades e opressões que vivemos hoje. O ato de conformar-se está relacionado à negligência com relação às necessidades das outras pessoas. É o contrário de ser atento e cuidadoso.

Jejum Sacrifício profundo, que significa muito mais do que privação de comida. Trata-se geralmente de uma redução no consumo de alimentos com o objetivo de sintonizar-se com o espírito.

Jesuíta Membro de uma ordem da Igreja Católica, também conhecida como Companhia de Jesus, fundada por Santo Inácio de Loyola. O seu principal objetivo é disseminar o amor de Deus pelo mundo, por meio da instrução, do Verbo, da arte sagrada, e do ato de servir.

Judeu-cristão Diz-se do que tem uma relação histórica com o Judaísmo e com as tradições cristãs primitivas.

Kardecistas Ensinamentos que ajudaram a estabelecer importantes princípios de comunicação entre os mundos físico e espiritual, e fazem uma ponte entre a religião, a filosofia e a ciência.

Karma Obrigação cósmica para consigo mesmo e para com o universo, cujo objetivo é estimular uma revisão do nosso sistema de crença e colocá-lo em harmonia com o universo, de modo que possamos nos libertar do karma passado. Trata-se de uma balança que equilibra a nossa energia, livrando-nos de qualquer desequilíbrio. Na física, é conhecido como Lei da Compensação, Lei do Equilíbrio ou Lei da Justiça. O karma consiste em receber o que merecemos, colhendo o que plantamos por meio do estímulo.

Lei da Abnegação e do Amor Incondicional Lei suprema, que está acima de todas as outras leis. O amor fortalece. Trata-se do oxigênio da alma, a energia da vida. Quanto mais irradiamos amor e o compartilhamos, mais forte e grandioso ele fica.

Lei da Causa e Efeito Em termos bíblicos trata-se do "colher o que se planta". Equalizador universal. Toda ação gera uma reação proporcional. Lei da Atração.

Lei da Justiça Lei Suprema de Deus; a misericórdia está acima de todas as leis.

Lei do Amadurecimento O cultivo da semente da vida, que nos leva do eu menor ao Eu Maior. A semente precisa amadurecer e atingir o estágio seguinte, caso contrário ela apodrece. Equivale à Lei Natural da Evolução.

Mandala É uma palavra de origem hindu, que em sânscrito significa círculo ou roda, sendo esta uma representação geométrica da dinâmica relação entre o homem e o cosmos. Trata-se de um instrumento ritualístico usado nas antigas religiões orientais e que auxilia no foco da meditação.

Mantra Na cultura indiana, sílaba, palavra ou verso pronunciados segundo prescrições ritualísticas e musicais, tendo em vista uma finalidade mágica ou o estabelecimento de um estado contemplativo. Um mantra pode simbolizar ou evocar uma filosofia mística (*dársana*), um livro sagrado ou um deus; é amplamente utilizado no ritualismo hinduísta e no budista, nas práticas psicofísicas do *yoga* e no *tantrismo*.

Medicina integrativa Medicina que integra, unifica, reúne e faz com que a pessoa fique inteira outra vez. Esse tipo de medicina colabora com outros sistemas de saúde e tradições de cura e tradições espirituais que consideram todos os aspectos de saúde: mental, emocional, espiritual, biológico e social.

Meditação Contato consciente com a fonte da vida. Trata-se da perda de contato com as correntes sensoriais humanas que vão além do ego, para encontrar moderação, harmonia e equilíbrio na vida. A meditação não impede que tenhamos dificuldades na vida, mas nos ajuda a lidar com elas.

Médium Todo aquele que sente, num grau qualquer, a influência dos Espíritos. Geralmente, o médium tem uma aptidão especial para os fenômenos de uma ou de outra ordem, por isso existem tantas variedades de médiuns quantas são as espécies de manifestações. O médium de efeitos físicos, por exemplo, tem a capacidade de curar. O médium de cura oferece tratamento para as realidades sociais, culturais e cósmicas mais amplas do paciente, com a ajuda do mundo espiritual. Ele estimula o paciente a tomar um caminho de autodescoberta por meio da convergência entre trabalho, estudo e boas ações.

Mediunidade Predisposição psicobiológica inerente àqueles que, em certas condições, são capazes de captar os pensamentos de espíritos desencarnados, vivenciar o plano astral e estabelecer contato com o mundo espiritual.

Medo Oposto da fé. Trata-se de um sentimento que nos enfraquece e se traduz em luta, apreensão, ansiedade e violência. O medo também é um tipo de extrema reverência (fanatismo) com relação ao poder superior.

Mente-corpo-espírito Trilogia composta dos três principais componentes da experiência humana, cujos campos energéticos precisam ser regenerados para que se tenha uma saúde íntegra.

Meridianos Parte de uma rede de canais do corpo humano que são responsáveis pela circulação de energia vital.

Milagre Acontecimento sobrenatural que só ocorre com a intervenção divina; mas, na maioria dos casos, é atribuído a alguns tipos de fenômenos ligados à cura ou não, e que não se consegue explicar por meios materiais ou racionais.

Misticismo Qualquer filosofia cujas raízes estão na experiência mística, nas intuições ou nas experiências diretas do Divino. Em tais experiências, o místico acredita que a sua alma atingiu temporariamente a união com Deus.

Místico Diz-se de alguém que acredita que a vida é muito mais do que apenas a sua parte física ou material. O místico acredita na realidade do reino espiritual.

Moralidade Qualidade que confere à pessoa atenção plena e consciência, ambas fundamentais para uma vida ética. Trata-se do código de ética que nos ajuda a encontrar a felicidade e a evitar o sofrimento.

Multirreligioso Diz-se da nova comunidade de pessoas de todos os credos, que se reúnem para celebrar as muitas faces de Deus e a verdadeira unidade em Deus.

Obsessão No Espiritismo, ação persistente de um espírito pouco esclarecido sobre um encarnado. Apresenta características muito diversas, desde a simples influência moral, sem sinais perceptíveis, até a perturbação completa do organismo e das faculdades mentais. Essa é uma condição que requer tratamento espiritual, mudança de comportamento e transformação interior. Em casos extremos, pode causar graves doenças físicas e mentais (ver Desobsessão).

Obsessor No Espiritismo, entidade espiritual que se agarra à aura de uma pessoa, causando ansiedade, confusão, depressão e sofrimento. Muitas vezes o obsessor é alguém com quem o paciente teve um relacionamento nesta ou numa encarnação passada e que não terminou bem. O principal objetivo de um obsessor é prejudicar o crescimento espiritual do paciente. Vale esclarecer que a dominação do espírito não se efetua nunca sem que aquele que a sofre a consinta, quer por fraqueza quer por desejá-la.

Oração Conversa com Deus. Trata-se de uma expressão profunda de gratidão por todas as nossas experiências (alegrias, abundância e perdas). Com a oração, aprendemos a cultivar a gratidão, a disciplina, a moderação, a humildade, o desapego, a prontidão, a presença de espírito e a proteção espiritual. Trata-se do instrumento que mais nos ajuda a moldar a nossa vida interior e exterior, levando-nos do eu menor ao Eu Maior.

Oráculo Pessoa que pode ver o futuro e fazer profecias. Verdade infalível transmitida por um sacerdote ou sacerdotisa; esse termo também se refere a um templo onde um profeta está em comunicação com Deus.

Ordem A ordem é eterna e mantém a harmonia. Quando as coisas estão fora de ordem, o equilíbrio natural da vida, a pessoa fica fora de sintonia e se sente infeliz ou doente. Isso acontece porque a ordem natural das coisas no universo está sendo alterada.

Ortodoxo/convencional Diz-se de uma doutrina inquestionável ou de um ensinamento religioso. Ensinamento tradicional e às cegas.

Paradigma Classificação. Modelo ou padrão.

Parapsicologia Campo de estudos da psicologia que estuda os fenômenos ligados à percepção extrassensorial (PSI) em fenômenos psicológicos como a clarividência, a telepatia, a psicocinese etc.

Passe espiritual Emanações de espíritos superiores transmitidas por um médium de cura com o objetivo de afetar a estrutura do perispírito do paciente. O passe espiritual, por proceder de seres superiores, tem um poder de cura maior do que o passe magnético (que não é ministrado por entidades espirituais, mas por seres físicos).

Passe magnético (físico) Emanações de seres físicos para ajudar pacientes que precisam recuperar a saúde física por meio de intercâmbio de fluidos magnetizados entre paciente e agente de cura. Esse intercâmbio não envolve uma entidade espiritual. Os primeiros passos na criação desse método de cura, no século XVIII, foram atribuídos ao médico alemão Franz Anton Mesmer.

Paz interior A paz de Deus dentro de nós, que nos ajuda a nos sentirmos genuinamente humanos com a plenitude da Alma de Deus.

Pecador Pela óptica religiosa, pessoa que agiu contra a vontade de Deus e violou as Suas Leis. Alguém que está espiritualmente morto ou desequilibrado, que caiu no erro; que vive nas sombras da ignorância e precisa se redimir.

Perdão Remissão de uma injúria cometida por nós ou contra nós. É por meio do perdão que se inicia o processo de restauração. É fundamental que se reverta o estado original da totalidade para que a mudança positiva aconteça.

Perispírito Corpo sutil que envolve o corpo humano, composto de fluido cósmico universal. O espírito utiliza o perispírito para se conectar às percepções do cérebro humano.

Poder de criação Capacidade para transcender o tempo e o espaço, que está em constante relação com o futuro. Trata-se do ponto a partir do qual a pessoa pode se conectar com o que está além das experiências humanas, das suas limitações e do modo inferior de pensar.

Prece intercessória Intenção amorosa e benéfica manifesta por meio de radiações das nossas melhores energias. Ela ajuda as outras pessoas e tem efeitos de cura.

Psicologia transpessoal Extensão dos estudos psicológicos sobre a consciência com enfoque na cura e no desenvolvimento da alma, a busca espiritual, as relações corpo-mente e a transformação.

Psicoterapia Tratamento de distúrbios emocionais e mentais. Na biomedicina essas técnicas psicológicas são aplicadas para estabelecer a comunicação entre terapeuta e paciente e levar este último a viver melhor.

Psíquico Diz-se da pessoa sensível às energias emanadas da aura de outro indivíduo. Na maioria das vezes essas energias são usadas por meio da clarividência, da intuição e da divinação.

Purificação A purificação da alma ocorre por meio do perdão e das obras de caridade. Ambos purificam a consciência e fazem com que a pessoa enxergue o mundo de maneira mais clara. Recomenda-se que a purificação do karma negativo seja feita antes que ele se manifeste na forma de sofrimento. Só uma alma pura pode ser um alicerce para o crescimento espiritual. O recipiente precisa estar limpo antes que se derrame dentro dele a água da vida.

Razão Capacidade humana para o pensamento racional, lógico e analítico. A razão não sabe como lidar com a dor ou como explicá-la, pois ela requer uma explicação transcendental e mística.

Reencarnação Progressão da alma pela eternidade, até que ela alcance plenamente a vida eterna em Deus. Para encarnados e desencarnados, o objetivo final é libertar-se do karma e ingressar de modo triunfante no Reino de Deus (a morada da alma).

Reflexão espiritual Exame dos nossos dissabores, sem ressentirmo-nos deles ou remoê-los, mas analisando-os para resolvê-los. A reflexão desanuvia o olho da alma e ajuda a diminuir e reorganizar a bagagem emocional desnecessária.

Religião Forte elemento cultural que se utiliza de rituais e reverencia o Criador. As religiões ditas organizadas, e até as que não reivindicam esse título, transmitem aos seus membros ensinamentos divinos e codificados, como instrumentos para lhes propiciar orientação, ordem e estrutura. A religião motiva todos os aspectos do comportamento humano, por isso é um importante elemento cultural.

Responsabilidade por si Consciência que toda pessoa tem da sua responsabilidade com relação às consequências de suas decisões e à sua própria saúde.

Ressurreição Do modo como é interpretada pelos estudiosos da Bíblia, trata-se da volta à vida depois da morte física ou renascimento para uma nova vida física.

Reverência Culto ao Todo-Poderoso. Hora de nos dedicarmos ao louvor e à honra ao Criador, agradecê-lo por tudo o que temos na nossa vida. A reverência difere da veneração, que implica respeito ou honra a uma entidade espiritual, como um santo ou anjo que é evocado, por meio de uma oração petitória, para prestar auxílio.

Ritual Encontro que simboliza e reproduz a criação. Forma não verbal de enaltecer o propósito e significado da vida e da morte, os rituais dão mais profundidade ao entendimento humano. No contexto religioso, o ritual é um chamado ao culto principalmente para celebrar acontecimentos que marcam mudanças na vida de uma pessoa (por exemplo, nascimento, puberdade, casamento e morte). Os rituais normalmente são celebrados entre membros de uma comunidade, e conferem uma importância maior ao acontecimento celebrado.

Sagrado Mais elevado grau de respeito a Deus, a todos os seres e a todas as coisas. A sacralidade inspira gratidão, humildade e moderação.

Salvação Nas Escrituras, significa dar energia vital a alguém, para fortalecê-lo, salvando a sua alma.

Santa Eucaristia Sacramento Cristão instituído por Cristo durante a Última Ceia com os apóstolos. Trata-se de um ritual de comunhão com Deus e com Cristo, no qual o pão e o vinho são consagrados e consumidos na lembrança de Cristo.

Santo Do ponto de vista interior, referência a tudo o que é puro e íntegro; do ponto de vista exterior, diz respeito a tudo o que é nobre e mostra congruência. Trata-se do compromisso profundo entre todas as formas de vida. Trata-se do respeito com relação ao espírito em todas as coisas. O objetivo da pessoa santa é servir, louvar e reverenciar a Deus e a toda a sua criação, com humildade e sem apegos autocentrados. É a visão do sagrado e da divindade em tudo.

Santo Rosário Forma de oração voluntária usada principalmente por católicos e alguns cristãos. Atualmente o Rosário se inicia com São Domingos, que recebeu uma visão e um rosário da Santa Mãe de Deus, instruindo-o a rezar para salvar almas e converter pecadores. O Rosário se compõe dos mistérios da vida de Jesus e Maria. O termo "rosário" deriva da Rosa Mística (termo atribuído à Virgem Maria), que, como uma flor que vai se abrindo, levando-nos através da vida, dos milagres, da paixão, da morte e da ressurreição de Cristo.

Santos Seres humanos que viveram uma vida exemplar e extraordinária de sacrifício, piedade, humildade, serviço, devoção e temperança. Por meio da oração, os seres humanos podem evocar os seus espíritos para que intercedam junto ao Criador para que um pedido seja concedido.

Saúde espiritual Um dos maiores tesouros divinos, a saúde espiritual precisa ser mantida com zelo constante, meditação, reverência, justiça, verdade e boas ações.

Saúde Fenômeno multidimensional que envolve os aspectos físico, psicológico, social e espiritual. Trata-se da harmonia e do equilíbrio do indivíduo.

Sofrimento Dor emocional pela qual passa uma alma atormentada. O sofrimento é um filtro purificador para o resgate do karma negativo. Ele também existe para nos ajudar a aperfeiçoar a nossa alma.

Supernatural Diz-se de qualquer coisa que não é considerada pertencente ao mundo natural e envolve o mundo espiritual. Não diz respeito aos cinco sentidos, mas à percepção extrassensorial.

Trabalhar No sentido espiritual, ato de fazer o bem. Trata-se da crença firme de que precisamos colaborar na construção do reino de Deus na Terra, antes de esperar receber a sua graça e misericórdia.

Tradições espirituais Práticas espirituais transmitidas de geração em geração (como o culto ancestral, a oração, a meditação etc.). O seu objetivo é trazer equilíbrio, paz e harmonia à nossa vida, mantendo a nossa conexão com o mundo espiritual.

Transcendental Novo modelo superior que supera todos os modelos anteriores.

Transe Estado semiconsciente, em que a pessoa vivencia os dois mundos, o físico e o espiritual, simultaneamente.

Transformação pessoal Aperfeiçoamento da alma, da mente e do corpo físico.

Triângulo No cristianismo e no catolicismo, representação simbólica da divina Trindade (Deus Pai, Deus Filho e o Espírito Santo [o aspecto feminino]). Trata-se também da representação da relação fraternal presente nas antigas filosofias orientais. Junto com a fraternidade da cruz (encontrada no pensamento ocidental que divulga os ensinamentos de Cristo), elas simbolizam a *unidade* de Deus.

Unidade Quando duas ou mais pessoas se tornam um único pensamento, um único coração, uma única família e um único Deus. Trata-se da Unidade em Deus e na Sua criação.

Verdade A verdade liberta, abre possibilidades e propicia a transformação por meio da renovação do espírito. Forte e vigorosa, ela mantém a harmonia universal. Quando imaculada, é imutável. O livre-arbítrio humano e os poderes intelectuais, porém, podem mudar a percepção que as pessoas têm da verdade.

Vibrações energéticas *ver* Intuição

Vida Ela é eterna e cíclica e ocorre com ou sem um corpo físico. Com o corpo, dizemos que estamos "vivos"; sem o corpo dizemos que estamos "mortos". Os espíritas dizem que só existe uma vida eterna, com várias encarnações físicas e desencarnações espirituais.

Visualização Método terapêutico usado na cura, que usa a imagem mental sugestiva.

Leituras recomendadas

Armond, E. *Passes e Radiações: Métodos Espíritas de Cura*. São Paulo: Editora Aliança, 1990.

Associação Médico-Espírita do Brasil. *Saúde e Espiritismo. Campos de força, mediunidade, sexualidade e abordagens na prática médica*. São Paulo: AME-Brasil, 2004.

Associação Médico-Espírita de Minas Gerais. *Por que Adoecemos — Novos horizontes do conhecimento médico-espírita*. São Paulo: AME-Brasil, 2004.

Associação Médico-Espírita de Minas Gerais. *Por que Adoecemos II — Princípios para a Medicina da Alma*. São Paulo: AME-Brasil, 2004.

Bodine, E. *Hands that Heal*. Novato: New World Library, 1985.

Bragdon, E. PhD. *Spiritual Alliances — Discovering the roots of health at the Casa de Dom Inacio*. Woodstock: Lightening Up Press, 2002.

Bragdon, E. PhD. *Kardec's Spiritism — A home for healing and spiritual evolution*. Woodstock: Lightening Up Press, 2004.

Brennan, B. A. *Hands of Light — A Guide to healing through the human energy field*. Nova York: Bantam Books, 2004. [*Mãos de Luz*, Editora Pensamento, São Paulo, 1990.]

Brolio, Dr. R. B. *Educação da Alma*. São Paulo: FE Editora Jornalística Ltda, 1999.

Brolio, Dr. R. B. *Doenças da Alma*. São Paulo: FE Editora Jornalística, Ltda, 2000.

Co, S., e Robins, E. B. *Your Hands Can Heal You — Pranic healing energy remedies to boost vitality and speed recovery from common health problems*. Nova York: Free Press, 2002.

Costa de Araújo Lima, M. *Parapsicologia — Da magia à ciência*. Porto Alegre: Editora Mercado Aberto Ltda, 1994.

Costa, V. R. *Enfermidades da Alma — e a proposta terapêutica espírita*. São Paulo: DPL-Editora e Distribuidora de Livros, Ltda, 2001.

Douglas-Klotz, N. *The Hidden Gospel — Decoding the spiritual message of the aramaic Jesus*. Wheaton: Quest Books, 1999.

Dossey, L. *Healing Words*. Nova York: Harper Paperbacks, 1993. [*As Palavras Curam*, Editora Cultrix, São Paulo, 1993, fora de catálogo.]

Emoto, M. *The Hidden Messages in Water*. Tóquio: Sunmark, 2001. [*Hado — Mensagens Ocultas na Água*, Editora Cultrix, São Paulo, 2006.]

Estrich-Pellegrino, R. *The Power to Heal — A concise and comprehensive guide to energy healing*. Goiânia: Gráfica Terra, 2003.

Fabri dos Anjos, M. *Novas Gerações e Vida Religiosa — Pesquisa e análises prospectivas sobre a vida religiosa no Brasil*. Aparecida: Editora Santuário, 2004.

Franco. D. P. *Amor, Imbatível Amor*. Salvador: Centro Espírita Redenção, 1998.

Franco. D. P. *Plenitude*. Rio de Janeiro: Centro Espírita de Redenção, 1991.

Gerber, R. *Vibrational Medicine — New choices for healing ourselves*. Santa Fe: Bear, 1996. [*Medicina Vibracional*, Editora Cultrix, São Paulo, 1992.]

Goswami, A. *Physics of the Soul*. Charlottesville: Hampton Roads, 2001.

Govinda, K. *A Handbook of Chakra Healing — Spiritual practice for health, harmony and inner peace*. Old Saybrook: Konecky and Konecky, 2002.

Insel, T. Director's Blog (2012). Treatment Development — Where do we go from here? National Institute of Mental Health. (5 de janeiro de 2012) [On-line] http://www.nimh.nih.gov/about/director/2012/treatment-development-where-do-we-go-from-here.shtml

Kulcheski, E. "Os Mecanismos da Cura Espiritual". *Revista Cristã de Espiritismo*, 2, 8-11, 2001.

Larson, D., Milano, B. e Lu, F. "Religion and mental health — The need for cultural sensitivity and synthesis." *In* S. O. Okpaku (org.), *Clinical Methods in Transcultural Psychiatry* (pp. 191-210). Washington: American Psychiatric Press, 1988.

Leonesy Pontes, J. A. *Esoterismo à Luz do Espiritismo*. Salvador: Gráfica Contraste, 1994.

Loyola, I. *The Spiritual Exercises of St. Ignatius*. Nova York: Random House, 2000.

Martin, B. *Change Your Aura, Change Your Life — A step-by-step guide to unfolding your spiritual power*. Sunland: Wisdom Light Books, 2000.

Matthews, D., M. D. e Clark, C. *The Faith Factor — Is religion good for your health?* Nova York: Penguin Group, 1998.

Mishlove, J. *Roots of Consciousness — Theory: The biological perspective*. [On-line] http://www.williamjames.Com/Theory/BIOLOGY.htm

Myss, C. PhD. *Anatomy of the Spirit — The seven stages of power and healing*. Nova York: Crown Publishers, 1996.

Netto, J. P. *Spiritualistic Guidelines of the World LGW*. São Paulo: Legião da Boa Vontade, 1989.

Petersen, K. *Laying On Of Hands*. The Silva Method. [On-line] http://www.silvamethod.com/rp/docs/hands.pdf

Schubert, S. C. *Os Poderes da Mente*. São Paulo: EBM Editora, 2004.

Sullivan, R. *Hospitals Introducing a Therapy Resembling 'Laying On Of Hands'*. The Silva Method. [On-line] http://www.silvamethod.com/rp/docs/hands.pdf

Xavier, F. C. *Brasil, Coração do Mundo, Pátria do Evangelho*. Rio de Janeiro: Federação Espírita Brasileira, 1938.

Xavier, F. C. *Nosso Lar*. Rio de Janeiro: Federação Espírita Brasileira, 1944.

Xavier, F. C. *Missionários da Luz*. Brasília: Federação Espírita Brasileira, 1945.

Xavier, F. C. *Os Mensageiros*. Brasília: Federação Espírita Brasileira, 1945.

Xavier, F. C. *Agenda Cristã*. Brasília: Federação Espírita Brasileira, 1948.

Bibliografia

Benson, H. *The Relaxation Response*. Nova York: Harpertorch, 2000.

Burns, K. (produtor executivo). *Ancient Aliens. The history channel*, Nova York: A & E Network, 2009.

Dowling, L. *The Aquarian Gospel of Jesus the Christ*. Marina del Rey: DeVorss e Co, 1979.

Epstein, D. *Countries of the CARMEN Network for chronic disease prevention and control meet in Bahamas: PAHO Urges Pan American action to stop regional epidemic of chronic diseases*. (2007) [On-line] http://www.paho.org/English/DD/PIN/pr071106a.htm

Estrich-Pellegrino, R. *The Miracle Man: The life and story of Joao de Deus*. Cairns, Queensland: Triad, 1997. http://www.robertpellegrinoestrich.com

Finkler, K. "Sacred healing and biomedicine compared". *In Medical Anthropology Quarterly* 8(2), 178-197, 1994.

Fuller, J. *Arigó: Surgeon of the Rusky Knife*. Nova York: HarperCollins, 1974.

Goswami, A. *Physics of the Soul — The quantum book of living, dying, reincarnation, and immortality*. Massachusetts: Hampton Roads Publishing, 2001.

Goulding, M. *Surgery and Pills Couldn't Help Me — A Brazilian shaman said he could. An adventure on the edge between medicine and miracles*. (2007) [On-line] http://www.menshealth.com/cda/article.do?site=MensHealth&channel=health&category=doctors.hospitals&conitem=25b7808f3eb34110VgnVCM10000013281eac__&page=1

Greenfield, S. *Spirits with Scalpels — The cultural biology of religious healing in Brazil*. Walnut Creek: Left Coast Press, 2008.

Harvey, C. e Cochrane, A. *The Healing Spirit of Plants — An illustrated guide to plant spirit medicine*. Nova York: Sterling, 1999.

Kardec, A. *The Spirit's Book*. Filadélfia: The Allan Kardec Educational Society, 2003.

Kardec, A. *The Gospel Explained by the Spiritist Doctrine*. Filadélfia: The Allan Kardec Educational Society, 2000.

Koenig, H., McCullough, M. e Larson, D. *Handbook of Religion and Health*. Nova York: Oxford, 2001.

Krippner, S. Cross-cultural Approaches to Multiple Personality Disorder — Practices in Brazilian spiritism. *Ethos*, 15, 273-295, 1987.

Krippner, S. e Villoldo, A. *The Realms of Healing*. Nova York: Random House, 1976.

Lerner, M. *Spirit Matters*. Charlottesville: Hampton Roads Publishing, 2000.

Lima, R. *Os Médicos do Espaço — O Lar de Frei Luís e Luís da Rocha Lima*. 5ª ed., Rio de Janeiro: Editora Mauad, 2000.

Lipton, B. *The Biology of Belief: Unleashing the power of consciousness, matter, and miracles*, Califórnia: Hayhouse, 2005.

Maki, M. *In Search of Brazil's Quantum Surgeon — The Dr. Fritz phenomenon*, San Francisco: Cadence Books, 1997.

Mishlove, J. *Psychic and Spiritual Healing with Stanley Krippner, Ph.D.* (1998) [On-line] Transcrição de uma entrevista. http://www. intuition. org/txt/krippner.htm

Moreira, W. *"Dr. Fritz", the Phenomenon of the Millennium — The author's story between the spiritual and material worlds*. Bloomington: iUniverse, 2002.

Moura, G. *Transformadores da Consciência*. Limeira: Editora do Conhecimento, 1996.

Neves Frade da Cruz, M. *Dr. Fritz Flew in a Flying Saucer — Hybridization and syncretism in the spiritual therapy of Chico Monteiro*. Juiz de Fora: Universidade Federal de Juiz de Fora, 2007.

Pires, H. *Arigó — Vida, Mediunidade e Martírio*. Capivari: EME Editora, 1998.

Quinones, J. "Is John of God Healer or a Charlatan? — Searching for hope and health in a remote Brazilian village". ABC News. (10 de fevereiro de 2005) [On-line] http://abcnews.go.com/Health/Primetime/story?id=482292&page=1

RavenWing, J. *The Book of Miracles — The healing work of João de Deus*. Fairfield: 1st Books, 2002. http://www.healingjourneys.net

SEER (Surveillance Epidimiology and End Results) Annual Report to the Nation on the Status of Cancer, 1975-2004. (2007) [On-line] http://seer.cancer.govlreport_to_nation/

Smith, J. "The Influence of Enzyme Growth by the 'Laying on of Hands'. *In* California Academy of Parapsychology and Medicine (org.). *Dimensions of Healing — A symposium*. Los Altos: California Academy of Parapsychology and Medicine, 1973.

Starfield, B. "Is the US Health Really the Best in the World?" *JAMA*, 284 (4), 483-485, 2000.

Voeks, R. *Sacred Leaves of Candomble — African magic, medicine, and religion in Brazil*. Austin: University of Texas Press, 1997.

WHO Global InfoBase Deaths Caused by Malignant Neoplasms. (2002) [On--line] http://www.who.int/infobase/compare.aspx?dm=10&countries =76%2c840&year=2002&sf1=mo.cg.059& ex=all

WHO Global InfoBase Mortality Deaths e Neuropsychiatric Conditions. (2002) [On-line] www.who.int/infobase/compare.aspx?dm=10&contries=76%2c840&year=2002&sf1 =mo.cg.059&sex=3

WHOSIS, Brazil. Brazil Mortality Profiles. (2002) [On-line] http://www.who.int/whosis/mort/profiles/mort/profiles/mort_amro_bra_brazil.pdf

WHOSIS, US. US Mortality Profiles. (2002) [On-line] http://www.who.int/whosis/mort/profiles/mort_amro_usa_unitedstatesofamerica.pdt

Próximos Lançamentos

Editora Pensamento
SÃO PAULO

Para receber informações sobre os lançamentos
da Editora Pensamento, basta cadastrar-se
no site: www.editorapensamento.com.br

Para enviar seus comentários sobre este livro, visite o
site www.editorapensamento.com.br ou mande um
e-mail para atendimento@editorapensamento.com.br